THIS BOOK WAS AWARDED
AS PART OF THE 2009
WE THE PEOPLE BOOKSHELF
PICTURING
AMERICA
Presented by the National Endowment for the Humanities (NEH)
in cooperation with the American Library Association (ALA)
www.neh.gov www.ala.org

John Steinbeck

Viajes con Charley

En busca de los Estados Unidos

TRADUCCIÓN DE JOSÉ MANUEL ÁLVAREZ FLÓREZ

EDICIONES PENÍNSULA

BARCELONA

Título original: *Travels with Charley*

Primera edición: marzo de 1998.
Segunda edición: diciembre de 2008.

Peu de la Creu 4, 08001-Barcelona.
www.edicionespeninsula.com

Impreso en Liberduplex, SL
Depósito legal: B-52.320-2008
ISBN: 978-84-8307-859-4

Contenido

Este libro está dedicado a
Harold Guinzburg
con respeto nacido de una relación y
un afecto que no hicieron más que crecer.

JOHN STEINBECK

PRIMERA PARTE

Cuando yo era muy joven y tenía dentro esa ansia de estar en otro sitio, las personas mayores me aseguraban que al hacerme mayor se me curaría este prurito. Cuando los años me calificaron de mayor, el remedio prescrito fue la edad madura. En la edad madura se me aseguró que con unos años más se aliviaría mi fiebre y ahora que tengo cincuenta y ocho tal vez la senilidad realice la tarea. No ha habido ningún remedio eficaz. Cuatro ásperos pitidos de la sirena de un barco aún me erizan el pelo de la nuca y ponen mis pies en movimiento. El sonido de un reactor, un motor calentándose, hasta el toc-toc de unos cascos herrados en el pavimento producen el viejo estremecimiento, la boca seca y la mirada perdida, las palmas ardientes y una agitación del estómago bajo la caja torácica. En otras palabras, no mejoro; en otras palabras más, el que ha sido vagabundo alguna vez, lo será siempre. Me temo que se trata de una cosa incurable. Expongo esto no para instruir a otros sino para informarme yo mismo.

Cuando el virus del desasosiego empieza a tomar posesión de un hombre rebelde, y el camino que lleva lejos de Aquí parece ancho y recto y agradable, la víctima debe hallar en primer lugar en sí misma una razón buena y suficiente para irse. Esto al vagabundo efectivo no le es difícil. Tiene incorporado un huerto de razones donde elegir. Luego debe planear su viaje en el tiempo y en el espacio, elegir una dirección y un destino. Y debe por último realizar el viaje. Cómo ir, qué llevar, cuánto tiempo estar. Esta parte del proceso es invariable e inmortal. La explico sólo para que los recién llegados al vagabundeo no crean, como adolescentes con un pecado recién urdido, que lo inventaron ellos.

Después de trazar el plan, disponer el equipo e iniciar un viaje, interviene y se hace cargo un nuevo factor. Cada viaje, safari, o exploración, es una entidad, es diferente de todos los demás viajes. Tiene personalidad, temperamento, individualidad, carácter único. Un viaje es una persona en sí; no hay dos iguales. Y los planes, las salvaguardas, el control y la coerción son todos infructuosos. Descubrimos tras años de lucha que no hacemos un viaje: es el viaje el que nos hace a nosotros. Guías, programas, reservas, cosas obligadas e inevitables, naufragan y se hunden ante la personalidad del viaje. Sólo cuando admite esto puede el vagabundo de pura cepa relajarse y asumirlo. Sólo entonces se disipan las frustraciones. En esto un viaje es como el matrimonio. La forma segura de equivocarse es pensar que lo controlas. Me siento mejor ahora, después de haber dicho esto, aunque sólo los que lo han experimentado lo entenderán.

Mi plan era claro, conciso y razonable, creo yo. He viajado durante muchos años por diversas partes del mundo. En Estados Unidos vivo generalmente en Nueva York, o me doy una vuelta por Chicago o por San Francisco. Pero Nueva York no es más los Estados Unidos de lo que París es Francia o Londres es Inglaterra. Así que me di cuenta de que no conocía mi propio país. Yo, un escritor estadounidense, que escribía sobre Estados Unidos, estaba trabajando de memoria, y la memoria es en el mejor de los casos un depósito defectuoso y deformado. No había oído el habla del país, ni olido la hierba ni los árboles ni las alcantarillas, ni visto sus cerros ni sus aguas, ni su color ni la calidad de su luz. Conocía los cambios sólo por los libros y los periódicos. Pero, aparte de eso, llevaba veinticinco años sin sentir el país. En suma, estaba escribiendo sobre algo de lo que no sabía, y me pareció que en alguien que es supuestamente un escritor eso era un crimen. Mis recuerdos estaban deformados por los veinticinco años que habían transcurrido.

En cierta ocasión anduve viajando en una vieja furgoneta de una panadería, un cacharro de dos puertas con un colchón en el suelo. Paraba donde paraba la gente o se reunía, oía y miraba y sentía, y me formé así una imagen de mi país cuya fidelidad sólo estaba empañada por mis propias limitaciones.

Sucedió pues que decidí volver a mirar, decidí intentar redescubrir este país enorme. No podía si no explicar, al escribir, las pequeñas verdades diagnósticas que son los fundamentos de la verdad mayor. En los veinticinco años que habían transcurrido, mi nombre se había hecho razonablemente famoso. Y mi experiencia me había dicho que la gente cambia cuando ha oído hablar de ti, favorablemente o no; se convierten, por timidez o por las otras cualidades que inspira la publicidad, en algo que no son en circunstancias ordinarias. Debido a eso, el viaje me obligaba a dejar en casa mi nombre y mi identidad. Tenía que ser ojos y oídos peripatéticos, una especie de placa de gelatina en movimiento. No podría firmar en registros de hoteles, ver a gente que conocía, entrevistar a otros, ni siquiera hacer preguntas inquisitivas. Además, dos o más personas perturban el complejo ecológico de un área. Tenía que ir solo y tenía que ser reservado, una especie de tortuga despreocupada con la casa a cuestas.

Teniendo en cuenta todo esto, escribí a la oficina central de una gran empresa que fabrica camiones. Expliqué lo que me proponía y cuáles eran mis necesidades. Quería una furgoneta de tres cuartos de tonelada, capaz de ir a cualquier parte soportando condiciones posiblemente rigurosas, y en esa furgoneta quería una casita incorporada como el camarote de un barco pequeño. Un remolque resulta engorroso para maniobrar en pistas de montaña, es imposible y a menudo ilegal aparcar con él y está sometido a diversas limitaciones. A su debido tiempo, llegaron especificaciones detalladas de un vehículo resistente, rápido y cómodo, con techo de caravana (una casita con una cama doble, una cocina de cuatro fuegos, estufa, nevera y luces, todo ello de butano, un retrete químico, espacio de armario, espacio de almacenaje, ventanas con mosquiteros para los insectos), exactamente lo que yo quería. Me la entregaron en el verano en la casita que tengo para pescar en Sag Harbor, en el extremo de Long Island. Aunque no quería empezar antes del Día del Trabajo, cuando la nación vuelve a asentarse en la vida normal, quería acostumbrarme a mi concha de tortuga, equiparla y aprender a manejarla. Llegó en agosto, una cosa bella, potente y sin embargo ágil.

Era casi tan fácil de manejar como un turismo normal. Y debido a que el viaje que había planeado había provocado algunos comentarios satíricos entre mis amigos, le llamé Rocinante, que era, como recordaréis, el nombre del caballo de Don Quijote.

Como no hice de mi proyecto ningún secreto, surgieron una serie de discusiones entre mis amigos y asesores. (Cuando se proyecta un viaje surgen enjambres de asesores.) Se me dijo que como mi fotografía estaba todo lo difundida que mi editor había sido capaz de conseguir, me resultaría imposible andar por ahí sin que me reconocieran. Dejadme que os diga por adelantado que en unos dieciséis mil kilómetros, y a lo largo de treinta y cuatro estados, no fui reconocido ni una sola vez. Creo que la gente sólo identifica las cosas en contexto. Ni siquiera los que podrían haberme reconocido en el marco que me corresponde teóricamente me identificaron en ninguna ocasión en Rocinante.

Se me advirtió que el nombre de Rocinante pintado en un lado de la camioneta con caligrafía española del siglo XVI provocaría curiosidad e investigaciones en algunos lugares. No sé cuánta gente reconoció el nombre, pero desde luego nadie hizo ni una sola pregunta sobre él.

Luego se me dijo que los objetivos de un desconocido que anduviese recorriendo por el país podrían provocar investigaciones e incluso recelos. Debido a esto metí en la camioneta una escopeta, dos rifles y un par de cañas de pescar, pues según mi experiencia si un hombre anda cazando o pescando se entienden e incluso se aplauden sus objetivos. En realidad, mis días de caza han terminado. No mato ya ni capturo nada que no pueda meter en una sartén; soy demasiado viejo para la matanza deportiva. Esta escenografía resultó innecesaria.

Se me dijo que mi matrícula de Nueva York provocaría interés y tal vez preguntas, ya que eran las únicas señales identificatorias externas que llevaba. Y así fue: unas veinte o treinta veces en todo el viaje. Pero esos contactos se atuvieron a una pauta invariable, que fue más o menos la siguiente:

Lugareño: «Nueva York, ¿eh?».

Yo: «Sí».

Lugareño: «Yo estuve allí en 1938... ¿o fue en el 39? Alice, ¿fue en el 38 o en el 39 cuando fuimos a Nueva York?».

Alice: «Fue en el 36. Me acuerdo porque fue el año que murió Alfred».

Lugareño: «Es igual, no me gustó nada. No viviría allí ni aunque me pagara usted por hacerlo».

Había cierta preocupación sincera por el hecho de que viajase solo, exponiéndome a un ataque, un robo, un asalto. Era bien sabido que nuestras carreteras son peligrosas. Y he de confesar a este respecto que tenía aprensiones absurdas. Hace años ya que no ando solo, anónimo, sin amistades, sin esa seguridad que le dan a uno la familia, los amigos y cómplices. Ese peligro no tiene nada de real. Es sólo una sensación de soledad y desvalimiento al principio... una especie de sentimiento de desolación. Debido a esto, llevé un acompañante en mi viaje: un caniche francés viejo y caballeroso llamado Charley. Bueno, se llama en realidad Charles le Chien. Nació en Bercy, en los arrabales de París y se educó en Francia, y aunque sabe un poco de inglés caniche, sólo responde rápidamente a órdenes en francés. Si no tiene que traducir, y eso le retrasa. Es un caniche muy grande, de un color llamado *bleu,* y es de verdad azul cuando está limpio. Charley es un diplomático nato. Prefiere la negociación a la lucha, y muy oportunamente, ya que se le da muy mal lo de luchar. Sólo una vez en sus diez años de vida ha tenido problemas: cuando se encontró con un perro que se negó a negociar. Perdió en esa ocasión una parte de la oreja derecha. Pero es un buen perro guardián... tiene un rugido como el de un león, destinado a ocultar a los extraños que vagan en la noche el hecho de que no sería capaz de salir a mordiscos de un *cornet de papier.* Es un buen amigo y compañero de viaje y no hay cosa que le guste más que andar de un sitio a otro. Si tiene una gran presencia en esta crónica se debe a que aportó mucho al viaje. Un perro, sobre todo uno exótico como Charley, es un vínculo entre desconocidos. Muchas conversaciones en ruta empezaron con «¿Qué raza de perro es ésa?».

Las técnicas para iniciar una conversación son universales. Yo sabía hacía mucho y redescubrí que el mejor medio de conseguir atención, ayuda y conversación es estar perdido. El hombre que al ver a su madre muriéndose de hambre en un camino le da un puntapié en el estómago para despejar la ruta, consagrará alegremente varias horas de su tiempo a dar instrucciones erróneas a un absoluto desconocido que explique que se ha perdido.

Bajo los grandes robles de mi casa de Sag Harbor está Rocinante, bello y autónomo, y vienen de visita los vecinos, en algunos casos vecinos que ni siquiera sabíamos que teníamos. Vi en sus ojos algo que había de ver una y otra vez en todas las regiones del país: un ardiente deseo de irse, de marchar, de ponerse en camino, hacia cualquier sitio, lejos de cualquier Aquí. Los visitantes hablaban quedamente de que querían irse algún día, andar por ahí, libres y desligados, no camino de algo sino alejándose de algo. Vi esta mirada y oí este anhelo en todas las zonas de todos los estados que visité. Casi todos los estadounidenses están deseando irse. Un chico pequeño, de unos trece años, volvía todos los días. Se quedaba a un lado tímidamente y miraba a Rocinante; atisbaba por la puerta, hasta se echaba al suelo y examinaba las ballestas especiales, muy potentes. Era un muchachito ubicuo y callado. Venía incluso de noche a contemplar a Rocinante. «Si me llevaras contigo —me dijo—, bueno, haría lo que fuese. Cocinaría, lavaría todos los platos y haría todo el trabajo y cuidaría de ti».

Yo conocía su anhelo, por desgracia para mí.

—Ojalá pudiera—dije—. Pero el consejo escolar y tus padres y muchos más dicen que no puedo.

—Haré lo que sea—dijo él. Y yo creo que lo habría hecho. Creo que no renunció hasta que me puse en marcha sin él. Tenía el sueño que he tenido yo toda mi vida y para el que no hay cura.

Equipar a Rocinante fue un proceso largo y placentero.

Llevé demasiadas cosas, pues no sabía con qué iba a encontrarme. Herramientas para una emergencia, cables de remolque, un aparejo de poleas pequeño, un zapapico y una palanca, instrumentos para hacer y arreglar e improvisar. Luego estaban los víveres de emergencia. Llegaría tarde al noroeste y me cogería la nieve. Me proveí para una semana de emergencia por lo menos; el agua era fácil; Rocinante llevaba un depósito de 115 litros.

Pensé que podría escribir un poco en ruta, quizás ensayos, probablemente notas y con seguridad cartas. Llevé papel, papel carbón, máquina de escribir, lápices, cuadernos. Y no sólo eso sino también diccionarios, una enciclopedia abreviada y una docena de libros de consulta más gruesos. Creo que nuestra capacidad de autoengaño es ilimitada. Sabía muy bien que raras veces tomo notas, y que si lo hago, o las pierdo o no puedo leerlas después. Sabía también después de treinta años de profesión que no puedo escribir en el calor del momento. Tiene que fermentar. He de hacer lo que un amigo llama «darle vueltas» un tiempo hasta que baje. Y a pesar de este autoconocimiento equipé a Rocinante con material de escribir suficiente para diez volúmenes. También incluí 60 kilos de esos libros que nunca llegas a leer... y no sería capaz de hacerlo tampoco en el viaje, por supuesto. Luego, productos enlatados, cartuchos, balas de rifle, cajas de herramientas y un exceso de ropa, mantas y almohadas, y de zapatos y botas, ropa interior acolchada de nailon para temperaturas bajo cero, y tazas y platos de plástico y una palangana de plástico, un depósito de gas de repuesto. Las ballestas sobrecargadas gemían e iban bajando más y más. Según mis cálculos actuales llevé aproximadamente cuatro veces más de lo necesario de todo.

Sucede que Charley es un perro que lee el pensamiento. Ha habido muchos viajes en su vida, y hay que dejarlo en casa a menudo. Sabe que nos vamos mucho antes de que aparezcan las maletas y pasea y se preocupa y gime y se pone en un estado de leve histeria, pese a lo viejo que es.

Durante las semanas de preparación andaba siempre estorbando y se convirtió en un engorro puñetero. Le dio por esconderse en la camioneta, se arrastraba dentro e intentaba parecer pequeño.

Se acercaba ya el Día del Trabajo, el día de la verdad en que volverían a clase millones de niños y dejarían las carreteras decenas de millones de padres. Estaba preparado para ponerme en marcha después de eso en cuanto fuese posible. Y entonces se informó de que subía del Caribe en nuestra dirección el huracán Donna arrastrándolo todo. En la punta de Long Island habíamos tenido suficientes experiencias similares como para ser sumamente respetuosos. Con un huracán acercándose nos preparamos para soportar un asedio. Nuestra pequeña bahía está bastante bien resguardada, pero no lo suficiente. Mientras Donna avanzaba hacia nosotros llené las lámparas de queroseno, puse en marcha la bomba manual para el pozo y até todo lo movible. Tengo un barco de motor de seis metros y medio de eslora, el *Fayre Eleyne*. Le cerré las escotillas y lo saqué hasta el medio de la bahía, eché un ancla inmensa y anticuada con una cadena de un centímetro y cuarto y lo amarré con un cabo largo. Con aquel aparejo podría aguantar un viento de doscientos cincuenta kilómetros por hora, salvo que se le partiese la proa.

Donna subió culebreando. Sacamos una radio de batería para oír los informes, ya que si Donna llegaba allí nos quedaríamos sin corriente. Pero había una preocupación añadida: Rocinante, plantado allí entre los árboles. En una pesadilla que tuve despierto vi caer un árbol sobre la camioneta y aplastarla como a un gusano. La aparté de una posible caída directa, pero eso no significaba que toda la copa de un árbol no pudiese volar quince metros por el aire y aplastarla.

Por la mañana temprano supimos por la radio que íbamos a recibirlo, y a las diez nos enteramos de que su centro pasaría por encima de nosotros y que llegaría a la 1,07... un momento así de preciso. Nuestra bahía estaba tranquila, sin una ondulación, pero el agua estaba aún oscura y el *Fayre Eleyne* se balanceaba suave y delicadamente frente al amarradero.

Nuestra bahía está mejor protegida que la mayoría, así que vinieron a amarrar en ella muchas embarcaciones pequeñas. Y vi consternado que muchos de sus propietarios no sabían amarrar. Finalmente entraron dos barcos, muy bonitos, uno remolcando al otro. Los tripulantes echaron un ancla ligera y los dejaron, la proa de uno atada a la popa del otro, y ambos dentro del margen de desplazamiento del *Fayre Eleyne.* Cogí un megáfono y fui hasta el final del embarcadero e intenté protestar contra aquel disparate, pero los propietarios o no me oyeron o no entendieron o no quisieron hacer caso.

El viento llegó en el momento en que nos habían dicho que lo haría, y arrugó el agua como una sábana negra. Fue como un puñetazo. La copa de un roble se desplomó entera y pasó rozando la casa de campo desde la que mirábamos. La ráfaga siguiente rompió uno de los ventanales. Volví a colocarlo y embutí cuñas por arriba y por abajo con una hachuela. Se fueron la luz y el teléfono en el primer embate, como ya sabíamos que pasaría. Estaban previstas olas de dos metros y medio. Contemplamos cómo el viento se abatía sobre la tierra y sobre el mar como una jauría incontenible de terriers. Los árboles cabeceaban y se doblaban como hierba y del agua batida se alzaba una crema de espuma. Se soltó una embarcación y fue subiendo como por un tobogán hasta la orilla, y luego otra. Casas construidas en la benigna primavera y a principios de verano recibieron olas en las ventanas del segundo piso. Nuestra casa está en una loma a nueve metros por encima del nivel del mar. Pero la marea cubrió mi elevado muelle. Cuando el viento cambió de dirección trasladé a Rocinante para que estuviera siempre a sotavento de nuestros grandes robles. El *Fayre Eleyne* aguantaba gallardamente, balanceándose como una veleta, alejado del viento cambiante.

Las embarcaciones que estaban atadas una a otra habían

chocado entre ellas por entonces, la sirga bajo la hélice y el timón, y los dos cascos golpeteaban y se rozaban. Otra embarcación había arrastrado el ancla y acabado en tierra sobre un banco de cieno.

El perro, Charley, no estaba nada nervioso. Los disparos, los truenos, las explosiones y los fuertes vientos le traen absolutamente sin cuidado. En medio de aquella terrible tormenta, buscó un lugar caliente debajo de una mesa y se puso a dormir.

El viento cesó con la misma brusquedad con que había empezado y, aunque continuaron las olas sin su acompañamiento, dejó ya de batirlas y la marea fue subiendo más y más. Todos los muelles de nuestra pequeña bahía habían desaparecido bajo el agua y sólo resultaban visibles los pilares o las barandillas. El silencio era como un rumor apresurado. La radio nos decía que estábamos en el centro de Donna, en la calma silenciosa y aterradora del núcleo de la tormenta remolineante. No sé cuánto duró la calma. Pareció mucho tiempo de espera. Y luego cayó sobre nosotros el otro lado, el viento que soplaba en dirección opuesta. El *Fayre Eleyne* se giró suavemente y se situó de proa al viento. Pero los dos barcos que estaban atados perdieron su anclaje y se precipitaron sobre él, rodeándolo. Se vio arrastrado entonces, protestando y luchando, en la dirección del viento y lanzado contra un muelle vecino, y llegó hasta nosotros el chillido de su casco al chocar contra los pilares de roble. El viento alcanzaba ya una velocidad de más de ciento cincuenta kilómetros por hora.

Yo, cuando quise darme cuenta, estaba ya bordeando la punta de la bahía a la carrera, luchando con el viento, camino del muelle donde estaban las embarcaciones destrozándose. Creo que mi mujer, cuyo nombre llevaba el *Fayre Eleyne*, corrió detrás de mí, ordenándome a gritos que parase. El suelo del muelle estaba más de un metro por debajo del agua, pero los pilares sobresalían y proporcionaban asideros. Fui avanzando poco a poco hasta que el agua me daba ya por los bolsillos del pecho, y me salpicaba en la boca, lanzada por el viento que soplaba hacia la orilla. Mi barco gemía y chillaba aplastado contra los pilares y cabeceaba como un becerro asustado. Logré subir a bordo de él de un salto. Por primera vez en mi vida tenía un cuchillo cuando lo necesitaba. Las embarcaciones incontrolables que rodeaban al *Eleyne* estaban empujándolo contra el muelle. Corté el cabo del ancla y la sirga y las dejé libres; se precipitaron a tierra sobre el banco de cieno. Pero la cadena del ancla del *Eleyne* estaba intacta y mi ancla vieja y grande aún seguía clavada abajo, cuarenta kilos de hierro con unas uñas lanceoladas anchas como palas.

El motor del *Eleyne* no siempre es obediente, pero aquel día se puso en marcha nada más tocarlo. Conseguí sostenerme de pie en la cubierta y avanzar hacia la rueda del timón y alcanzar el acelerador y el embrague con la mano izquierda. Y aquel barco procuró ayudar... estaba lo suficientemente asustado para hacerlo, me imagino. Lo aparté de allí y subí la cadena del ancla con la mano derecha. En circunstancias normales casi no puedo izar esa ancla con las dos manos estando la mar tranquila. Pero en aquella ocasión todo salió bien. Me apoyé sobre el ancla y se inclinó y soltó sus palas. Luego liberé el barco del fondo y enfilé hacia el viento y aceleré y nos enfrentamos a aquel ventarrón condenado y le ganamos. Era como si nos abriésemos camino a través de unas gachas espesas. A un centenar de metros de la orilla dejé caer el ancla y se hundió e hizo fondo y el *Fayre Eleyne* se enderezó y alzó la proa y pareció lanzar un suspiro de alivio.

Y bueno, allí estaba yo, a unos cien metros de la costa con Donna aullando sobre mí como una jauría de sabuesos de bigote blanco. Posiblemente ningún esquife podía resistir su embate ni un minuto. Vi pasar patinando un trozo de rama y me limité a saltar tras ella. No había ningún peligro. Si podía mantener la cabeza alzada tenía que llegar a la orilla, aunque confieso que las botas bajas de goma que llevaba se me hicieron bastante pesadas. Antes de que pasaran tres minutos había tocado tierra ya y la otra *Fayre Eleyne* y un vecino me sacaron del agua. Sólo entonces empecé a temblar todo, pero era estupendo mirar hacia allá y ver nuestro barquito balanceándose tranquilo y seguro. Debí de torcerme algo al tirar del ancla con una mano, porque necesité un poco de ayuda para llegar a casa; un vaso de whisky en la mesa de la cocina me ayudó un poco también. He intentado después levantar esa ancla con una mano y no he sido capaz.

El viento cesó rápidamente y nos dejó los restos... líneas eléctricas derribadas y una semana sin teléfono. Pero Rocinante no había sufrido absolutamente ningún daño.

SEGUNDA PARTE

Cuando se planifica un viaje a largo plazo creo que hay un convencimiento íntimo de que acabará no haciéndose. A medida que se aproximaba el día, mi cama caliente y mi cómoda casa iban haciéndose cada vez más deseables y mi querida esposa incalculablemente valiosa. Cambiar esas cosas durante tres meses por los terrores de lo incómodo y lo desconocido parecía demencial. No quería irme. Tenía que pasar algo que me impidiese emprender la marcha, pero no pasó. Podía ponerme malo, por supuesto, pero ése era precisamente uno de los motivos principales, aunque fuese secreto, de que quisiera irme. Durante el invierno anterior había caído enfermo de bastante gravedad de una de esas molestias, como se las llama delicadamente, que son los susurros de una vejez que se acerca. Cuando salí de eso recibí el sermón acostumbrado sobre la necesidad de aminorar la marcha, adelgazar, reducir la ingestión de colesterol. Les pasa a muchos hombres y creo que los médicos se han aprendido de memoria la letanía. Les había sucedido a tantos amigos míos... El sermón terminaba así: «Aminora la marcha. No eres ya tan joven como antes». Y había visto a tantos empezar a envolver sus vidas en algodón en rama, ahogar sus impulsos, ocultar sus pasiones y alejarse gradualmente de su virilidad para entrar en una especie de semiinvalidez física y espiritual. Les animan a hacer esto sus mujeres y sus familiares y es una trampa tan dulce.

¿A quién no le gusta ser el centro de atención? Cae así

sobre muchos hombres una especie de segunda infancia. Cambian su violencia por la promesa de un pequeño aumento del periodo de vida. Lo cierto es que el cabeza de familia se convierte en el niño más pequeño de la casa. Y me he examinado a mí mismo en relación con esa posibilidad con una especie de horror. Pues he vivido siempre violentamente, bebido desmedidamente, comido demasiado o nada en absoluto, dormido veinticuatro horas seguidas o pasado dos noches sin dormir, trabajado demasiado duro y demasiado tiempo sintiéndome en la gloria o haraganeado en la vagancia absoluta una temporada. He alzado, arrastrado, cortado, escalado, hecho el amor con alegría y aceptado mis resacas como una consecuencia, no como un castigo. No quería renunciar a mi fiereza por una pequeña ganancia temporal. Mi mujer se casó con un hombre; no veía ninguna razón por la que hubiese de heredar un bebé. Sabía que conduciendo una camioneta dieciséis a veinte mil kilómetros, solo y desamparado, por todo tipo de carreteras, sería un trabajo duro, pero para mí representaba el antídoto del veneno del enfermo profesional. Y no estoy dispuesto a cambiar en mi propia vida calidad por cantidad. Si el viaje proyectado acababa resultando excesivo era hora de emprenderlo de todos modos. Veo a demasiados hombres demorar sus salidas por una resistencia torpe y enfermiza a abandonar el escenario. Es teatro malo además de mala vida. Soy muy afortunado por tener una mujer a la que le gusta ser una mujer, lo que significa que le gustan los hombres, no los bebés ancianos. Aunque esta última motivación del viaje nunca se analizó, estoy seguro de que ella la entendió.

Llegó la mañana, una mañana clara con esa tonalidad parda del otoño en la luz. Mi esposa y yo nos despedimos muy rápidamente, ya que a los dos nos revientan las despedidas, y ninguno de los dos quería que el otro le dejase al irse. Ella puso en marcha el motor y salió disparada hacia Nueva York y yo, con Charley a mi lado, conduje a Rocinante hasta el transbordador de Shelter Island, y luego a un segundo transbordador que me llevaría hasta Greenport y a un tercero que iba desde Orient Point a la costa de Connecticut, cruzando el estrecho de Long Island, pues quería evitar el tráfico de Nueva York y ponerme ya en camino. Y confieso que tenía un sentimiento de gris desolación.

En el muelle del transbordador picaba el sol y la costa del continente estaba a sólo una hora de distancia. Se alejó de nosotros un bello balandro, el gran foque colocado como una bufanda curvada, y los barcos de cabotaje subían todos laboriosamente por el estrecho o se dirigían bamboleándose pesadamente hacia Nueva York. Luego se asomó a la superficie un submarino a media milla de distancia y el día perdió parte de su claridad. Después, más lejos, cortó el agua otra criatura oscura y luego otra; tienen su base en New London, por supuesto, y éste es su hogar. Y quizá se esté manteniendo la paz del mundo con ese veneno. Ojalá pudiesen gustarme los submarinos, y lo cierto es que podría encontrarlos bellos, pero están diseñados para la destrucción, y aunque puedan explorar y cartografiar el fondo del mar, y trazar nuevas rutas comerciales bajo el hielo del Ártico, su finalidad principal es la amenaza. Y me acuerdo demasiado bien de cuando crucé el Atlántico en un barco de transporte de tropas y sabía que en algún lugar de la ruta las cosas oscuras acechaban buscándonos con sus ojos de un solo pedúnculo. La cosa es que la luz se oscurece para mí cuando los veo y recuerdo hombres quemados sacados de un mar cubierto de petróleo. Y ahora los submarinos están armados para la matanza masiva, nuestro único y estúpido medio de impedir la matanza masiva.

Sólo hay unas cuantas personas aguantando el viento en la cubierta superior del traqueteante transbordador de hierro. Un joven de trinchera, cabello del color de las barbas del maíz y ojos de un azul intenso bordeados de rojo por aquel viento desapacible, se volvió hacia mí y luego señaló.

—Ése es el nuevo—dijo—. Puede mantenerse sumergido tres meses.

—¿Cómo puede distinguirlos?

—Los conozco. Estoy en ellos.

—¿En los atómicos?

—Aún no, pero tengo un tío en uno, y puede que no tarde.

—No lleva usted uniforme.

—Acabo ahora un permiso.

—¿Le gusta servir en ellos?

—Por supuesto que sí. El sueldo es bueno y hay todo tipo de... posibilidades de un futuro.

—¿Le gustaría estar abajo tres meses?

—Llegas a acostumbrarte. La comida es buena y puedes ver películas y... me gustaría pasar por debajo del polo, ¿no le gustaría a usted?

—Supongo que sí.

—Y puedes ver películas y hay toda clase de... posibilidades de un futuro.

—¿De dónde es usted?

—De allí... de New London... nací allí. Tengo un tío en el servicio y dos primos. Creo que somos una especie de familia submarina.

—A mí me inquietan.

—Oh, eso se le pasaría pronto, señor. Se olvidaría enseguida de que estaba sumergido... bueno, si es que no tiene usted ya algún problema. ¿Ha tenido claustrofobia alguna vez?

—No.

—Bueno, entonces se acostumbraría enseguida. ¿Le apetece bajar a tomar un café? Hay tiempo de sobra.

—Sí que me apetece.

Y pudiera ser que tuviese razón él y yo me equivocase. Es su mundo, ya no es el mío. No hay cólera en sus ojos azules ni miedo ni tampoco odio, así que tal vez no haya problema. Es sólo un trabajo con un buen sueldo y con posibilidades de un futuro. No debo echarle encima al muchacho mis recuerdos y mi miedo. Quizás no vuelva a ser verdad esta vez, pero es su problema. Es su mundo ya. Quizás él comprenda cosas que yo no aprenderé jamás.

Tomamos el café en vasos de papel y me señala por las ventanas cuadradas del transbordador los diques secos y los esqueletos de nuevos submarinos.

—Lo bueno que tienen es que si llega una tormenta te puedes sumergir y no hay problema. Duermes como un niño mientras arriba se desata el infierno.

Me dio instrucciones sobre cómo podía salir de la población, unas de las pocas instrucciones correctas que me dieron a lo largo del viaje.

—Hasta la vista—dije—. Espero que tenga un buen... futuro.

—No está mal, sabe... Adiós, señor.

Y mientras iba recorriendo una carreterita de Connecticut, bordeada de árboles y huertos, me di cuenta de que aquel muchacho me había hecho sentirme mejor y más seguro.

Había estudiado mapas durante varias semanas, mapas a gran escala y a pequeña, pero los mapas no son realidad ni mucho menos... pueden ser además unos tiranos. Conozco gente que está tan inmersa en los mapas de carretera que no ve nunca el territorio por el que pasa, y otros que, después de haberse trazado una ruta, se aferran a ella como si estuvieran encajados con ruedas de pestaña en unos raíles. Dirigí a Rocinante hacia un pequeño merendero mantenido por el estado de Connecticut y saqué mi libro de mapas de carretera. Y de pronto los Estados Unidos se hicieron increíblemente inmensos e imposibles de cruzar. Me pregunté cómo demonios me había enredado en aquel proyecto que no se podía realizar. Era como empezar a escribir una novela. Cuando me enfrento a la imposibilidad desoladora de escribir quinientas páginas cae sobre mí una sensación morbosa de fracaso y el convencimiento de que no podré conseguirlo jamás. Siempre me pasa eso. Luego, poco a poco, escribo una página y después otra. Todo lo que puedo permitirme considerar es un día de trabajo y desecho la posibilidad de terminar alguna vez. Lo mismo me pasaba entonces, mientras miraba la proyección de brillantes colores de los monstruosos Estados Unidos. Las hojas de los árboles eran una maraña tupida y agobiante en aquel área de descanso, no crecían ya sino que colgaban inertes esperando que la primera helada les diese un golpe de color y la segunda las condujese a tierra y pusiese fin a su año.

Charley es un perro alto. Cuando se sentaba en el asiendo de al lado, su cabeza quedaba casi a la misma altura que la mía. Acercó su nariz a mi oído y dijo: «Ftt». Es el único perro que haya visto yo que sea capaz de pronunciar la letra *F*. Esto se debe a que tiene los dientes delanteros torcidos, una tragedia por la que le están vedadas las exhibiciones caninas; debido a que sus dientes delanteros superiores encajan levemente con el labio inferior, Charley puede pronunciar *F*. La palabra «Ftt» significa normalmente que le gustaría saludar a un matorral o un árbol. Abrí la puerta de la cabina y lo dejé salir y se entregó a su ceremonia. No tiene que pensarlo para hacerlo bien. La experiencia me ha demostrado que en algunos casos Charley es más inteligente que yo, pero en otros es abismalmente ignorante. No sabe leer, no sabe conducir un coche y no entiende nada de matemáticas. Pero en su propio campo de actividad, en el que se hallaba actuando entonces, el lento e imperial olisquear y ungir una zona, no tenía igual. Sus horizontes son limitados, por supuesto, pero ¿son tan amplios los míos?

Seguimos viaje en el atardecer de otoño, en dirección norte. Como era autosuficiente, pensé que podría ser agradable invitar a la gente que conociese en ruta a tomar una copa, pero me había olvidado de incluir bebidas alcohólicas. De todos modos en las carreteras secundarias de ese estado hay bonitas tiendas donde venden licores. Sabía que había algunos estados con ley seca pero se me había olvidado cuáles eran, y era una buena ocasión de abastecerse. Vi una tiendecita bastante separada de la carretera en un bosquecillo de arces azucareros. Tenía un huerto bien cuidado y macetas con flores. El propietario era un viejo de aspecto juvenil y cara gris, sospecho que abs-

temio absoluto. Abrió su libro de pedidos y enderezó el papel carbón con paciente meticulosidad. Nunca sabes lo que la gente va a querer beber. Pedí whisky (bourbon y escocés), ginebra, vermut, vodka, un coñac de mediana calidad, aguardiente de manzana añejo y una caja de cervezas. Me pareció que con eso podría solventar casi todas las eventualidades. Era un gran pedido para una tienda pequeña. El propietario estaba impresionado.

—Debe ser una gran fiesta.

—No... son sólo los suministros para el viaje.

Me ayudó a sacar las cajas y abrí la puerta de Rocinante.

—¿Va usted en esto?

—Claro.

—¿Adónde?

—Por ahí.

Y entonces vi lo que había de ver tantas veces en el viaje: una mirada de añoranza.

—¡Dios mío! Ojalá pudiese ir.

—¿No le gusta esto?

—Claro que sí. Está muy bien, pero ojalá pudiera ir.

—Ni siquiera sabe usted adónde voy.

—Me da igual. Me gustaría ir a cualquier sitio.

Al final tuve que salir de las carreteras tapadas por los árboles y hacer lo posible por eludir las ciudades. Hartford y Providence y otras parecidas son ciudades grandes, llenas de fábricas, con un tráfico asqueroso. Se tarda mucho más en atravesar las ciudades que en recorrer varios cientos de kilómetros. Y como en la intrincada red del tráfico tienes que concentrarte en encontrar el camino para poder salir de ella, no tienes ninguna posibilidad de ver nada. Pero he atravesado ya cientos de poblaciones y ciudades de todos los climas y con todo tipo de paisajes, y por supuesto son todas diferentes, y la gente tiene características distintas, pero en algunas cosas son iguales. Las ciudades de los Estados Unidos son como madrigueras de tejón, bordeadas de desechos (todas ellas), rodeadas de montones de automóviles destrozados y herrumbrosos y casi asfixiadas por la basu-

ra. Todo lo que usamos viene en cajas de madera, de cartón, cajones, el llamado embalaje que tanto nos gusta. Las montañas de las cosas que tiramos son mucho mayores que las cosas que usamos. En esto, por lo menos, podemos ver la salvaje e insensata exuberancia de nuestra producción, de la que los desperdicios parecen ser el índice. Mientras pasaba al volante pensé que en Francia o en Italia cada una de aquellas cosas tiradas se habría guardado y utilizado para algo. No digo esto como crítica de un sistema o de otro, pero me pregunto si llegará un momento en que no podamos permitirnos ya este desperdicio nuestro: desechos químicos en los ríos, desechos metálicos por todas partes y desechos atómicos sepultados en las profundidades de la tierra o hundidos en el mar. Cuando una aldea india quedaba demasiado sumergida en su propia basura, los habitantes se trasladaban a otro sitio. Pero nosotros no tenemos ningún sitio al que trasladarnos.

Tuve que prometerle al más pequeño de mis hijos que le diría adiós al pasar por su colegio de Deerfield, Massachusetts, pero llegué allí demasiado tarde ya para despertarle, así que enfilé montaña arriba y busqué una granja, compré un poco de leche y pedí permiso para aparcar debajo de un manzano. El granjero tenía un doctorado en matemáticas y debía de haber estudiado algo de filosofía. Le gustaba lo que estaba haciendo y no quería estar en ningún otro sitio..., fue una de las poquísimas personas satisfechas con su situación que encontré a lo largo del viaje.

Prefiero cubrir con un velo mi visita al colegio de Eaglebrook. Es fácil imaginar el efecto que produjo Rocinante en doscientos adolescentes prisioneros de la educación, que acababan de instalarse allí para cumplir su sentencia invernal. Visitaron mi camioneta en manadas, hasta quince a la vez en el pequeño camarote. Me lanzaban corteses maldiciones con la mirada porque yo podía irme y ellos no. Mi propio hijo probablemente no me perdone nunca. Paré poco después de salir de allí, para asegurarme de que no llevaba ningún polizón.

Mi ruta seguía hacia el norte por Vermont y luego hacia el este por New Hampshire y las White Mountains. En los puestos de los bordes de la carretera había pilas de calabazas doradas y rojizas y cestos de manzanas rojas tan crujientes y dulces que parecían estallar en jugo cuando las mordía. Compré manzanas y una jarra de cuatro litros de sidra dulce recién exprimida. Creo que todos los puestos de la carretera venden mocasines y guantes de piel de ciervo. Y los que no, venden dulce de leche de cabra. Yo no había visto hasta entonces puestos de venta a puerta de fábrica en pleno campo como aquéllos, que vendían calzado y ropa. Los pueblecitos son en mi opinión los más bellos de toda la nación, limpios y pintados de blanco (sin contar los moteles y apartamentos para turistas), y se conservan como hace un centenar de años, salvo por el tráfico y por las calles pavimentadas.

El clima cambió rápidamente al frío y los árboles estallaron en una explosión de color, con unos rojos y unos amarillos increíbles. No es sólo el colorido sino un brillo especial que es como si las hojas se tragaran la luz del sol del otoño y luego la fueran soltando despacito. Hay una cualidad ígnea en esos colores. Estaba ya en las montañas, a bastante altura, antes del oscurecer. Un cartel junto a un arroyo ofrecía a la venta huevos frescos y me metí por el camino de entrada a una granja y compré huevos y pedí permiso para acampar junto al arroyo y ofrecí pagar.

El granjero era un hombre enjuto, con lo que consideramos una cara de yanqui y las vocales borrosas que consideramos que es la pronunciación yanqui.

—No necesita pagar nada—dijo—. Ese terreno no se utiliza. Pero me gustaría ver ese vehículo que tiene ahí.

—Déjeme buscar un sitio llano—dije yo—y ordenar un poco, luego puede bajar a tomar un café... o alguna otra cosa.

Di marcha atrás y busqué hasta que encontré un sitio llano desde donde podía oír el ávido ronroneo del arroyo; era casi de noche ya. Charley había dicho «Ftt» varias veces, queriendo decir en este caso que tenía hambre. Abrí la puerta de Rocinante, encendí la luz y me encontré con un caos absoluto dentro. He estibado muchas veces una embarcación previendo los bamboleos y cabeceos, pero las paradas y arrancadas rápidas de una camioneta son un problema diferente. El suelo estaba cubierto de libros y de papeles. La máquina de escribir se había aposentado estrambóticamente sobre una pila de platos de plástico, uno de los rifles se había caído y había quedado apoyado en la cocina, y una resma entera de papel, quinientas hojas, se había desparramado como nieve cubriéndolo todo. Encendí la lámpara de gas, metí las cosas caídas en un armarito y puse agua para hacer café. Por la mañana tendría que reorganizar mi carga. Nadie puede decir cómo hay que hacerlo. Se ha de aprender la técnica como yo la aprendí, a base de fallos. En cuanto se hizo noche cerrada, el frío empezó a ser glacial, pero la lámpara y los fuegos de gas de la cocina calentaban mi casita acogedoramente. Charley comió su cena, hizo su ronda obligada y se retiró a un rincón enmoquetado de debajo de la mesa que habría de ser suyo los tres meses siguientes.

Hay tantos diseños modernos para una vida cómoda. En mi barco había descubierto los utensilios de cocinar desechables de aluminio, sartenes y platos hondos. Fríes un pescado y tiras la sartén por la borda. Estaba bien equipado de esas cosas. Abrí una lata de menestra y la eché en un plato desechable y lo puse en una placa de amianto sobre una llama baja, para calentarlo muy despacio. Apenas estuvo listo el café, Charley lanzó su rugido de león. Me es imposible explicar cómo conforta el que te digan que se acerca alguien en la oscuridad. Y si diese la casualidad de que el que se acercase albergara mal en su corazón, aquel vozarrón le haría detenerse si no conocía el carácter fundamentalmente pacífico y diplomático de Charley.

El propietario de la granja llamó a la puerta y le invité a entrar.

—Está muy bien esto—dijo—. Está muy bien, sí señor.

Se deslizó en el asiento de al lado de la mesa. Es una mesa que se puede bajar de noche y los cojines se pueden extender para hacer una cama doble.

—Muy bien—volvió a decir.

Le serví una taza de café. Yo creo que el café huele mejor incluso cuando empieza a helar.

—¿Quiere echarle algo más?—pregunté—. ¿Algo que le dé autoridad?

—No... está muy bien así. Está muy bien.

—¿No quiere un chorrito de aguardiente de manzana? Estoy cansado de conducir, me gustaría también echarle un poco.

Me miró con esa alegría contenida que los no yanquis consideran reserva.

—¿Lo tomaría si yo no lo tomase?

—No, creo que no.

—No quiero privarle de él entonces... sólo una cucharada.

Así que serví una buena dosis de aguardiente de manzana de veintiún años de antigüedad y me deslicé en mi lado de la mesa. Charley se desplazó para dejar sitio y apoyó la barbilla en mis pies.

Hay una regla de cortesía cuando se está viajando. La pregunta directa o personal está descartada. Pero eso es simple buena educación en cualquier lugar del mundo. No me preguntó mi nombre ni yo a él el suyo, pero había visto cómo se posaban sus rápidos ojos en las armas de fuego colocadas en sus portafusiles de goma, en las cañas de pescar sujetas en la pared.

Estaba en los Estados Unidos Jruschov, una de las pocas razones por las que me habría gustado estar en Nueva York.

—¿Ha oído usted la radio hoy?—le pregunté.

—Las noticias de las cinco.

—¿Qué pasó en N.U.? No me acordé de ponerla.

—Una cosa que parece increíble—dijo él—. El señor J. se quitó un zapato y aporreó la mesa.

—¿Por qué?

—No le gustaba lo que estaban diciendo.

—Parece una manera extraña de protestar.

—Bueno, atrajo la atención. Todas las noticias hablaban de eso.

—Deberían darle un mazo para que no tuviera que quitarse los zapatos.

—Eso es una buena idea. Tal vez pudiese tener la forma de un zapato para que no se sintiese violento.

Bebió un sorbo de aguardiente saboreándolo con detenimiento.

—Es muy bueno—dijo.

—¿Qué piensa la gente de por aquí sobre todo esto de responder a los rusos?

—Sobre el resto de la gente no sé. Pero pienso que si estás respondiendo es como una acción de retaguardia. Me gustaría ver que hacíamos algo a lo que ellos tuviesen que respondernos.

—En eso tiene usted razón.

—A mí me parece que estamos siempre defendiéndonos.

Llené otra vez las tazas de café y serví un poco más de aguardiente para los dos.

—¿Cree usted que deberíamos atacar?

—Yo creo que deberíamos por lo menos coger la pelota alguna vez.

—No es que esté haciendo una encuesta, pero ¿cómo le parece que irán las elecciones por aquí?

—Ojalá lo supiese—dijo—. La gente no habla. Creo que estas elecciones podrían ser las más secretas que hayamos tenido jamás. La gente simplemente no da ninguna opinión.

—¿No podría ser que no tienen ninguna?

—Tal vez, o tal vez es sólo que no quieren decirla. Recuerdo otras elecciones en que había discusiones bastante fuertes. Esta vez no he oído ni una siquiera.

Y eso fue lo que encontré por todo el país... no había ninguna polémica, ninguna discusión.

—¿Pasa igual... en otros sitios?

Debía de haber visto mis placas de matrícula, pero eso no lo mencionaba.

—A mí me parece que sí. ¿Cree usted que la gente tiene miedo a tener una opinión?

—Algunos puede que sí. Pero conozco otros que no tienen miedo y no dicen nada tampoco.

—Ésa ha sido mi experiencia—dije—. Pero en realidad no sé.

—Yo tampoco sé. Tal vez sea todo parte de la misma cosa. No, gracias, ya basta. Noto por el olor que su cena está casi lista. Me voy.

—¿Parte de qué misma cosa?

—Bueno, por ejemplo mi abuelo y su padre... aún vivía cuando yo tenía doce años. Ellos sabían algunas cosas de las que estaban seguros. A ellos, si les dabas una pequeña pista estaban bastante seguros de lo que *podría* pasar después. Pero ahora... ¿qué podría pasar?

—No sé.

—Nadie sabe. ¿De qué vale una opinión si no sabes? Mi abuelo sabía cuántos pelos tenía en la barba el Todopoderoso. Yo no sé siquiera qué pasó ayer, no digamos mañana. Él sabía de qué estaba hecha una piedra o una mesa. Yo no entiendo siquiera esa fórmula que dice que nadie sabe nada. No nos queda nada para seguir... no hay ya ninguna manera de pensar en las cosas. Bueno, me voy. ¿Le veré por la mañana?

—No sé. Me iré temprano. Quiero cruzar Maine hasta Deer Isle.

—Vaya, un lugar muy bonito, ¿no?

—Aún no lo sé. No he estado nunca allí.

—Sí, es un lugar bonito. Le gustará. Gracias por el... café. Buenas noches.

Charley le vigiló mientras se iba y luego suspiró y se volvió a dormir. Yo comí mi menestra, luego bajé la cama y saqué *Ascensión y caída del Tercer Reich* de Shirer. Pero me di cuenta de que no podía leer, y al apagar la luz de que no podía dormir. El repiqueteo del agua en las piedras era un buen sonido relajante, pero la conversación del granjero seguía conmigo... era un hombre reflexivo y elocuente. No podía albergar la esperanza de encontrar muchos como él. Y tal vez hubiese puesto el dedo en la llaga. Los seres humanos tuvieron tal vez un millón de años para acostumbrarse al fuego como cosa y como idea. Entre el momento en que un hombre se quemó los dedos en un árbol abatido por un rayo y el momento en que otro hombre transportó un trozo de él al interior de una cueva y descubrió que le mantenía caliente, tal vez pasaron unos cien mil años y de eso a los altos hornos de Detroit... ¿cuánto?

Y ahora se disponía de una fuerza muchísimo mayor, y no habíamos tenido tiempo de desarrollar los medios para pensar, pues el hombre ha de tener sentimientos y luego palabras antes de que pueda aproximarse a lo de pensar y eso, al menos en el pasado, ha llevado mucho tiempo.

Cantaron los gallos antes de que me quedase dormido. Y sentí por fin que había empezado mi viaje. Me parece que no había creído en él hasta entonces.

A Charley le gusta levantarse temprano y le gusta que yo me levante temprano también. ¿Y por qué no habría de gustarle? En cuanto desayuna se vuelve a dormir. Y ha desarrollado con los años una serie de métodos, inocentes en apariencia, para conseguir que yo me levante. Puede sacudirse y sacudir el collar con suficiente fuerza como para despertar a un muerto. Si eso no resulta tiene un ataque de estornudos. Pero su método más irritante puede que sea sentarse muy quieto al lado de la cama y mirarme fijo a la cara con una expresión dulce e indulgente; y yo afloro del sueño profundo con la sensación de que me están mirando. Pero he aprendido a mantener los ojos bien cerrados. Basta que parpadee para que estornude y se estire, y se acabó para mí el sueño de esa noche. Muchas veces la guerra de voluntades se prolonga un buen rato, yo manteniendo los ojos firmemente cerrados y él mostrándose indulgente, pero casi siempre gana. Le gustaba tanto viajar que quería empezar temprano, y temprano para Charley es cuando llega la primera atenuación de la oscuridad con el amanecer.

No tardé en descubrir que si un forastero itinerante desea escuchar disimuladamente qué es lo que se cuenta en una población local, los lugares en los que tiene que introducirse son los bares y las iglesias; y ha de estarse allí callado. Pero algunos pueblos de Nueva Inglaterra no tienen bares y sólo hay iglesia los domingos. Una buena alternativa es el restaurante de carretera donde se reúnen los hombres para desayunar antes de ir a trabajar o de caza. Para encontrar habitados esos lugares debe levantarse uno muy temprano. Y hasta esto tiene un inconveniente. Los hombres que se levantan temprano no sólo no hablan mucho con desconocidos sino que casi no hablan entre ellos. La conversación del desayuno se limita a una serie de gruñidos lacónicos. La taciturnidad natural de Nueva Inglaterra alcanza su perfección gloriosa en el desayuno.

Di de comer a Charley, luego di un pequeño paseo y después me lancé a la carretera. Cubría las colinas y me escarchaba el parabrisas una niebla gélida. Yo no soy normalmente de los que comen mucho para desayunar, pero tenía que hacerlo porque no vería si no a nadie más que cuando parase a echar gasolina. Así que paré en el primer restaurante de carretera que tenía las luces encendidas y me senté en el mostrador. Los clientes estaban inclinados todos ellos sobre sus tazas de café como helechos. Una conversación normal es más o menos la siguiente:

Camarera: «¿Lo mismo?».

Cliente: «Sí».

Camarera: «¿Está bastante frío para usted?».

Cliente: «Sí».

(Diez minutos.)

Camarera: «¿Otro?».

Cliente: «Sí».

Éste es un cliente muy hablador. Los hay que se limitan a un gruñido y otros que no contestan nada en absoluto. Una camarera de primera hora de la mañana lleva una vida solitaria en Nueva Inglaterra, pero pronto aprendí que si yo probaba a inyectar vida y alegría en su trabajo con un comentario risueño ella bajaba los ojos y contestaba con un sí o con un gruñido. De todos modos tuve la sensación de que había un cierto tipo de comunicación, aunque no pueda explicar cuál era.

Lo más informativo era el programa de radio de la mañana, que aprendí a estimar. Todos los pueblos de unos cuantos miles de habitantes tienen su emisora de radio, que ocupa el puesto del antiguo periódico local. Se anuncian gangas y trueques, acontecimientos sociales, se facilitan precios de artículos, se transmiten mensajes. Los discos que ponen son los mismos en todo el país. Si *Teen-Age Angel* es cabeza de lista en Maine, es cabeza de lista en Montana. Así que puedes oír *Teen-Age Angel* treinta o cuarenta veces en un día. Pero además de las crónicas y noticias locales se cuela un poco de publicidad exterior. A medida que me internaba en el norte e iba haciendo más frío, iba dándome cuenta de que había más y más publicidad de terrenos en Florida y, con el largo y crudo invierno aproximándose, pude entender por qué Florida es una palabra dorada. A medida que avanzaba descubría que había más y más personas que soñaban con Florida y que se habían trasladado allí a miles y que querían hacerlo y lo harían muchos más. La publicidad, con una mirada de reojo a la Comisión Federal de Comunicaciones, explicaba pocas cosas aparte del hecho de que el terreno que se vendía estaba en Florida. Algunos anuncios se aventuraban a garantizar que el terreno quedaba por encima del nivel de la marea. Pero eso no importaba; bastaba con el nombre de Florida para transmitir el mensaje de calor y bienestar y confort. Era irresistible.

He vivido en un buen clima y me resulta endemoniadamente aburrido. En Cuernavaca, México, donde viví en tiempos, y donde el clima se aproxima todo lo imaginable a lo perfecto, descubrí que cuando la gente se va de allí suele irse a Alaska. Me gustaría saber cuánto puede aguantar en Florida un hombre del condado de Aroostook. El problema es que con sus ahorros trasladados e invertidos allí, no lo tiene demasiado fácil para volver. Ha tirado sus dados y no puede recogerlos ya para tirar otra vez. Pero me pregunto si alguien del «Este profundo», sentado en una silla de nailon y aluminio en un césped de un verdor invariable, espantando mosquitos en el anochecer de un octubre de Florida... me pregunto si la picadura del recuerdo no le golpea en la boca del estómago, justo debajo de las costillas, donde duele. Y en el húmedo verano perpetuo su mente pictórica estoy seguro que vuelve al grito de color, al roce limpio del aire gélido, al olor a madera de pino ardiendo y la calidez acariciante de las cocinas. Pues, ¿cómo puede conocer el color en un verde perpetuo y de qué vale el calor sin que lo haga dulce el frío?

Yo iba conduciendo todo lo despacio que la costumbre y una ley impaciente permitían. Es la única manera de ver algo. Los estados proporcionan cada pocos kilómetros lugares de descanso al borde de la carretera, sitios cubiertos que están situados a veces al lado de oscuros arroyos. Había bidones de gasolina pintados para la basura, y mesas para comer y a veces sitios para hacer fuego o para asar. Yo sacaba a intervalos a Rocinante de la carretera y dejaba pasearse a Charley para que repasara con el olfato la lista de visitantes previos. Luego calentaba café y me sentaba cómodamente en el escalón de atrás y contemplaba el bosque y el agua y las empinadas montañas con coronas de coníferas y abetos en lo alto, empolvados de nieve. Hace mucho tiempo tuve por Pascua un huevo de mirar. Atisbando por un agujerito del extremo vi una granjita encantadora, una especie de granja de los sueños, y en la chimenea de la casa una cigüeña sentada en un nido. La consideré una granja de cuento de hadas, imaginada con la misma firmeza que los gnomos sentados debajo de las setas.

Y luego en Dinamarca vi esa granja o una hermana suya y era de verdad, igual que había sido en aquel huevo de mirar. Y en Salinas, California, donde me crié, aunque teníamos algunas heladas, el clima era fresco y neblinoso. Cuando veía fotos en color de un bosque de Vermont en otoño era otra cosa encantada y la verdad es que no nos lo creíamos. En la escuela aprendíamos de memoria «*Snowbound*» y versitos del Old Jack Frost y de su brocha, pero lo único que Jack Frost hacía por nosotros era poner una fina piel de hielo sobre el abrevadero, y eso raras veces. Fue una conmoción para mí descubrir que aquella chifladura de color era de verdad, pero que las fotos eran traducciones desvaídas e inexactas. No puedo imaginar siquiera los colores del bosque cuando no estoy viéndolos. Me pregunté si el contacto constante podría causar desatención y le pregunté a una nativa de New Hampshire al respecto. Dijo que el otoño nunca dejaba de asombrarla, de entusiasmarla.

—Es una gloria—dijo—, y no se puede recordar, así que siempre llega como una sorpresa.

En el riachuelo que había junto al lugar de descanso vi saltar una trucha del agua oscura de un pozo y formarse anillos de plata concéntricos y crecientes, y Charley lo vio también y se metió en el agua y se mojó, el muy tonto. No piensa nunca en el futuro. Entré en Rocinante para llevar mi escaso aporte de basura al bidón de gasolina: dos latas vacías; yo había comido de una y Charley de la otra. Y entre los libros que había llevado vi una cubierta que recordaba bien y la saqué a la luz del sol: una mano dorada que sostenía a la vez una serpiente y un espejo con alas y debajo, en letras de tipo caligráfico «*The Spectator*, Editado por Henry Morley».

Parece que he tenido una infancia afortunada para un escritor. A mi abuelo, Sam'l Hamilton, le gustaba mucho la buena literatura, y la conocía además, y tenía algunas hijas intelectuales, entre ellas mi madre. Por eso en Salinas, en la gran librería de nogal oscuro con puertas de cristal, había cosas extrañas y maravillosas que descubrir. Mis padres no me las ofrecieron nunca y la puerta de cristal era evidente que las guardaba, así que yo hurtaba de allí. Ni se me prohibía ni se intentaba disuadirme para que no lo hiciese. Hoy pienso que si prohibiésemos a nuestros hijos iletrados tocar las cosas maravillosas de nuestra literatura, quizá pudiesen robarlas y descubrir un gozo secreto. No tardé en sentir un amor por Joseph Addison, que nunca he perdido. Toca el instrumento del lenguaje como Casals el violonchelo. No sé si influyó en el estilo de mi prosa, pero la verdad es que pienso que ojalá lo haya hecho. En las White Mountains en 1960, sentado al sol, abrí el bien recordado primer volumen, impreso en 1883. Volví al Número 1 de *The Spectator,* jueves 1 de marzo de 1711. El encabezado era éste:

Non fumum ex fulgore, sed ex fumo dare lucem
Cogit, et speciosa dehinc miracula promat. Horacio.

Bajo esa fecha escribe:

«He observado que un lector raras veces lee detenidamente un libro con placer mientras no sabe si aquel que lo escribió es rubio o moreno, de disposición colérica o apacible, casado o soltero, con otras particularidades de similar naturaleza, que conducen en muy gran medida al recto entendimiento de un autor. A satisfacer esta curiosidad, que es tan natural en un lector, dedico este artículo y el próximo, como discursos introductorios a mis escritos siguientes y detallaré además en ellos las diversas personas involucradas en esta obra. Como el problema principal de compilar, compendiar y corregir será de mi incumbencia, estoy obligado a hacer justicia iniciando el libro con mi propia historia».

Domingo, 29 de enero de 1961. Sí, Joseph Addison, oigo y obedeceré dentro de los límites de la razón, pues parece que esa curiosidad de la que tú hablas no ha disminuido ni mucho menos. He encontrado muchos lectores más interesados en lo que visto que en lo que pienso, más ávidos de saber cómo lo hago que de saber qué hago. Por lo que respecta a mi obra, a algunos lectores les causa mayor impresión lo que hace que lo que dice. Como sugerencia del maestro es una orden similar a la de las Sagradas Escrituras, así que me desviaré y la seguiré al mismo tiempo.

Soy, hablando en términos generales, alto (uno ochenta justo), aunque se me considere un enano entre los varones de mi familia. Éstos oscilan entre el uno ochenta y cinco y uno noventa y cinco, y sé que mis dos hijos me sobrepasarán cuando alcancen toda su talla. Soy muy ancho de hombros y, en las condiciones en que me encuentro ahora, de caderas estrechas. Tengo las piernas largas en relación con el tronco y dicen que están bien formadas. El pelo lo tengo de un gris entrecano, los ojos azules y las mejillas coloradas, una tez heredada de mi madre irlandesa. Mi cara no se ha mantenido inmune al paso del tiempo, sino que lo registra con cicatrices, surcos, arrugas y erosiones. Tengo barba y bigote, pero me afeito las mejillas; dicha barba, que tiene una banda oscura de mofeta por el medio y es blanca en los bordes, conmemora a ciertos parientes. Cultivo esta barba no por las razones que suelen darse de problemas de piel o dolor al afeitarse, no con el secreto propósito de cubrir una barbilla débil, sino como puro adorno descarado, como algo muy parecido al placer que al pavo real le procura su cola. Y, por último, en nuestra época una barba es la única cosa que una mujer no puede hacer mejor que un hombre, o si puede su éxito únicamente está asegurado en un circo.

Mi atuendo para viajar era utilitario aunque algo raro. Unas botas de goma bajas con plantillas de corcho me mantenían los pies calientes. Unos pantalones caquis de algodón comprados en una tienda de suministros del ejército cubrían mis zancas, mientras que mis regiones superiores disponían de una cazadora con puños y cuello de pana y un bolsillo atrás lo suficientemente grande para meter de contrabando a una princesa india en un albergue de la Asociación Cristiana de Jóvenes. Llevaba una gorra que había usado muchos años, una gorra azul de la Marina británica, de sarga, con una visera corta y sobre ella el león regio y el unicornio, luchando como siempre por la Corona de Inglaterra. Esta gorra está bastante raída y tiene adherida mucha sal, pero me la dio el capitán de una torpedera en la que me embarqué en Dover durante la guerra... un gentil caballero y un asesino. Después de que dejé su mando atacó a un torpedero alemán y aguantó su fuego intentando tomarlo, ya que no había sido capturado ninguno nunca, y resultó hundido en el intento. He usado su gorra desde entonces en su honor y en su memoria. Además, me gusta. Concuerda conmigo. En el «Este profundo» nadie miraba dos veces esa gorra, pero más tarde, en Wisconsin, Dakota del Norte, Montana, cuando había dejado ya el mar muy atrás, me pareció que llamaba la atención y compré lo que solíamos llamar un sombrero de ganadero, un Stetson, no demasiado ancho de ala, un sombrero del Oeste rico pero conservador, del tipo de los que solían usar mis tíos que robaban ganado. Sólo cuando llegué a otro mar, en Seattle, volví a ponerme la gorra de marino.

Ya está cumplida la orden de Addison, mi lector me tiene ya otra vez en aquel merendero de New Hampshire. Mientras estaba allí sentado hojeando el primer volumen de *The Spectator* y considerando cómo la mente suele hacer dos cosas al mismo tiempo de las que se da cuenta y probablemente varias de las que no se da, entró allí un lujoso coche, y una mujer bastante corpulenta y hortera soltó a un perro de Pomerania bastante corpulento y hortera y de condición femenina. Yo no me daría cuenta de esto último hasta más tarde; pero Charley se dio cuenta inmediatamente. Salió de detrás de la lata de basura, vio a su beldad, se le encendió la sangre francesa y se lanzó a desplegar una serie de galanterías que resultaban inconfundibles hasta para los flácidos ojos de la dueña de la damisela. Dicha criatura lanzó un grito como un conejo herido, emergió del coche con un sentimentalismo explosivo y habría agarrado a su queridita en brazos si pudiera haberse inclinado tan abajo. Lo más que pudo hacer fue asestar un sopapo en la cabeza del alto Charley. Éste le pegó un mordisco en la mano con la mayor naturalidad y despreocupación, procediendo a continuación a seguir con su romance. Hasta ese momento yo no había comprendido nunca el verdadero sentido de la frase «hacer retumbar el firmamento» y aquella furibunda mujer, que lo hacía retumbar ciertamente, me lo hizo comprender. Le cogí la mano y vi que ni siquiera le había rasgado la piel, así que agarré a su perra, y aquel pequeño monstruo me asestó de inmediato un buen mordisco que hizo brotar sangre antes de que lograra cogerla por el cuello y estrangularla delicadamente.

A Charley le parecía absurda toda aquella escena. Orinó en la lata de basura por vigésima vez y dio el asunto por concluido.

Llevó tiempo calmar a la dama. Saqué la botella de coñac, que podría haberla matado, y bebió un trago que debería haberlo conseguido.

Habría sido lógico pensar que Charley, con todo lo que había hecho por él, habría acudido en mi ayuda, pero él detesta a los neuróticos y a los borrachos. Se metió en Rocinante, se arrastró debajo de la mesa y se puso a dormir. *Sic semper cum franchutes.*

Por fin la dama salió zumbando de allí con el freno de mano puesto y la clase de día que yo había construido yacía en ruinas. Addison había estallado en llamas, la trucha no alzaba ya círculos en el pozo y una nube cubría el sol y ponía un escalofrío en el aire. Cuando me di cuenta estaba conduciendo más deprisa de lo que quería y empezaba a llover, una lluvia acerada y fría. No presté a aquellos pueblos encantadores la atención que se merecían y no tardé en entrar en Maine y seguir hacia el este.

Ojalá hubiera dos estados que se pusieran de acuerdo en lo del límite de velocidad. Cuando te has acostumbrado ya a los ochenta kilómetros por hora cruzas la frontera de un estado y son cien. No entiendo por qué no pueden reunirse y ponerse de acuerdo. Hay sin embargo una cuestión en la que están de acuerdo todos los estados: confiesan todos y cada uno de ellos que son el mejor y proclaman ese hecho con letras inmensas cuando cruzas la frontera. No vi ni un solo estado, de un total de casi cuarenta, que no tuviese algo bueno que decir de sí mismo. Parecía una falta de delicadeza, la verdad. Tal vez habría sido más apropiado dejar que los visitantes lo descubrieran por su cuenta. Pero a lo mejor no lo hacíamos si no se atraía nuestra atención hacia ese hecho.

La preparación para el invierno es drástica en Nueva Inglaterra. La población estival debe ser grande y las carreteras y autopistas deben atiborrarse de refugiados que huyen del calor pegajoso de Boston y de Nueva York. Los puestos de perritos calientes, las heladerías, las tiendas de curiosidades, los sitios que venden guantes y mocasines de piel de ciervo estaban ya todos cerrados, muchos de ellos con letreros que decían «Abriremos el próximo verano». Nunca consigo llegar a acostumbrarme a los miles de tiendas de antigüedades que hay a lo largo de las carreteras, todas rebosantes de basura auténtica y certificada de una época anterior. Creo que la población de las Trece Colonias era de menos de cuatro millones de almas y tienen que haberse dedicado por tanto cada una de ellas frenéticamente a producir mesas, sillas, porcelana, cristalerías, moldes de velas y cachivaches de formas extrañas en hierro, cobre y latón para su futura venta a los turistas del siglo XX. Hay suficientes antigüedades a la venta a lo largo de las carreteras sólo en Nueva Inglaterra para abastecer las casas de una población de cincuenta millones. Si yo fuese un buen hombre de negocios y me preocupase una pizca por mis biznietos nonatos, cosa que no hago, reuniría toda la basura y los automóviles desechados, peinaría los basureros de la ciudad y amontonaría esos restos en montañas y lo rociaría todo con esa sustancia que utiliza la Marina en los barcos contra la polilla. Al cabo de un centenar de años se permitiría a mis descendientes abrir la puerta de acceso a este tesoro escondido y serían los reyes de las antigüedades del mundo. Si los cachivaches maltrechos, fisurados y rotos de los que nuestros ancestros intentaron librarse dan hoy tanto dinero, pensad lo que valdrá en el futuro un Oldsmobile de 1945 o una tostadora de 1960... o una batidora Waring... ¡las posibilidades son infinitas, Dios mío! Cosas que tenemos que pagar para que se las lleven podrían producir fortunas.

Si parezco estar demasiado interesado en la basura es porque lo estoy, y tengo un montón de ella, además... medio garaje lleno de trastos y de piezas rotas. Uso esas cosas para arreglar otras. Hace poco paré el coche delante del depósito de un chatarrero cerca de Sag Harbor. Cuando estaba mirando educadamente las existencias, se me ocurrió de pronto que yo tenía más que él. Pero salta a la vista que siento un interés sincero y casi avariento por los objetos sin valor. Mi excusa es que, en estos tiempos de obsolescencia planificada, cuando se estropea una cosa puedo encontrar normalmente algo en mi colección para arreglarla... un inodoro o un motor, o una segadora de césped. Pero sospecho que la verdad es que simplemente me gusta la basura.

Antes de iniciar el viaje ya sabía que tendría que hacer altos a intervalos de unos cuantos días en moteles y paradores, por disfrutar de un baño caliente y esplendoroso más que por dormir. En Rocinante calentaba agua en una tetera y me daba baños de esponja, pero bañarse en un cubo proporciona poca limpieza y absolutamente ningún placer. Sumergirse en una bañera honda con el agua muy caliente es un puro gozo. Pero muy al principio de mi viaje inventé un método para lavar ropa que te costaría mucho trabajo mejorar. Surgió de este modo. Tenía un cubo de basura de plástico grande con tapa y asa. Como el movimiento normal de la camioneta lo volcaba, lo até con un trozo de cuerda elástica fuerte de goma con una cubierta de algodón al palo del tendal del armarito, donde podía balancearse para gozo de su corazón sin derramarse. Después de un día allí, lo abrí para echar su contenido en una lata de basura del borde de la carretera y me encontré con la basura más concienzudamente amasada y batida que había visto en mi vida. Supongo que todos los grandes inventos surgen de una experiencia parecida a ésa. A la mañana siguiente lavé el cubo de plástico, metí en él dos camisas, ropa interior y calcetines, añadí agua caliente y detergente, y lo colgué con la cuerda de goma al poste del tendal, donde bailó y se columpió como un loco todo el día. Esa noche aclaré las prendas en un regato y nunca se vio ropa tan limpia. Luego até dentro de Rocinante una cuerda de nailon junto a la ventana y colgué la colada a secar. A partir de entonces mi ropa quedaba lavada en un día de viaje y se secaba en el siguiente. Hasta me pasé de la raya y lavé sábanas y fundas de almohadas de ese modo. Toda una exquisitez, pero no servía para baños calientes.

Poco después de salir de Bangor paré en un motel y alquilé una habitación. No era caro. «Precios de invierno muy reducidos», decía el letrero. Era inmaculada; todo estaba hecho de plástico: los suelos, la cortina, los tableros de las mesas de plástico inoxidable e incombustible, pantallas de lámparas de plástico. Sólo la ropa de cama y las toallas eran de un material natural. Fui al pequeño restaurante adjunto. Era todo de plástico también: el mantel y las servilletas, la mantequera. El azúcar y las galletas estaban envueltos en celofán. Aunque era al final del día, aún era temprano y yo el único cliente. Hasta la camarera llevaba un delantal de plástico esponjoso. No era feliz, pero tampoco desgraciada. No era nada. Pero yo no creo que alguien no sea nada. Tiene que haber algo dentro, aunque sólo sea para impedir que la piel se colapse. Aquellos ojos ausentes, aquella mano inerte, aquella mejilla adamascada empolvada como un donut con colorete plástico, tenían que tener un recuerdo o un sueño.

En cuanto se me presentó la oportunidad le pregunté:

—¿Cuánto tardará usted en irse a Florida?

—Me voy la semana que viene—dijo apáticamente; luego algo se agitó en aquel doloroso vacío—. Pero oiga, ¿cómo es que sabe usted que voy a ir?

—Le leí el pensamiento, supongo.

Se fijó en mi barba.

—¿Viene con algún espectáculo?

—No.

—¿Qué quiere decir entonces con eso de que me leyó el pensamiento?

—Que tal vez lo adiviné. ¿Le gusta aquello?

—¡Pues claro! Voy todos los años. Hay muchísimos trabajos de camarera en invierno.

—¿Qué hace usted allí, quiero decir para divertirse?

—Oh, nada. Sólo andar por allí.

—¿Va a pescar o a bañarse?

—No mucho. Sólo ando por allí. No me gusta aquella arena, me da picores.

—¿Gana mucho dinero?

—Son tacaños.

—¿Tacaños?

—Se lo gastan todo en bebida.

—¿En vez de en qué?

—En propinas. Pasa lo mismo que aquí con la gente que viene en verano. Son tacaños.

Es extraño cómo una persona puede inundar una habitación de vitalidad, de emoción. Luego hay otras, y aquella dama era una de ellas, que pueden extraer la energía y la alegría, pueden absorber el placer y dejarlo seco y no obtener de él el menor sustento. Esta gente difunde una grisura en el aire a su alrededor. Yo había estado mucho tiempo conduciendo y puede que anduviese bajo de energía y con poca capacidad de resistencia. Me afectó. Empecé a sentirme tan triste y desdichado que me entraron ganas de meterme debajo de un cobertor de plástico y morirme. ¡Menudo ligue debía ser, menuda amante! Intenté imaginarme esto último y no pude. Estuve pensando durante un instante darle una propina de cinco dólares, pero sabía lo que pasaría. No se alegraría. Sólo pensaría que estaba loco.

Volví a mi habitacioncita inmaculada. Nunca bebo solo. No es demasiado divertido. Y no creo que lo haga hasta que no sea un alcohólico. Pero esa noche cogí una botella de vodka de mis existencias y la llevé a mi celda. En el cuarto de baño había dos vasos de agua metidos en sendas bolsas selladas de celofán con estas palabras: «Estos vasos están esterilizados para su protección». Había una tira de papel sobre la tapa del inodoro que decía: «Este asiento ha sido esterilizado con luz ultravioleta para protegerle a usted». Todo el mundo se dedicaba a protegerme y era horrible. Saqué los vasos de sus envoltorios. Violé la tapa del inodoro alzándola con el pie. Me serví medio vaso de vodka y lo bebí y luego me serví otro. Me sumergí a continuación en agua caliente en la bañera y me sentía absolutamente desgraciado y con la sensación de que no había nada bueno en ningún sitio.

Se lo transmití a Charley, pero no es un perro que se deje abatir. Entró en el cuarto de baño y se puso a jugar el tonto de él con la alfombrilla de plástico como si fuera un cachorro. ¡Qué fuerza de carácter, qué amigo! Luego corrió a la puerta y ladró como si me estuviesen invadiendo. Y si no hubiese sido por todo aquel plástico podría haberlo conseguido.

Me acuerdo de un viejo árabe del norte de África, un hombre cuyas manos no habían tocado el agua. Me dio té en un vaso tan empañado por el uso que era opaco, pero me daba camaradería y el té resultó maravilloso debido a ello. Y aunque no tenía ninguna protección no se me cayeron los dientes ni me llené de llagas. Me puse a formular una nueva ley que describiese la relación entre protección y abatimiento. Un alma triste puede matarte más deprisa que un germen, mucho más.

Si Charley no se hubiese sacudido y no hubiese saltado y dicho «Ftt», yo podría haber olvidado que todas las noches recibe dos galletas de perro y un paseo para despejarse la cabeza. Me puse ropa limpia y salí con él a una noche cuajada de estrellas. Y se veía la aurora boreal. Sólo la he visto unas cuantas veces en mi vida. Colgaba y se desplazaba majestuosamente en pliegues como una viajera infinita al fondo del escenario de un teatro infinito. Se desplazaba y palpitaba contra el cielo de la noche con tonos rosa y azul lavanda y violeta y relucían a través de ella las estrellas aguzadas por la helada. ¡Qué espectáculo en un momento en que tanto lo necesitaba! Me pregunté durante unos instantes si no debería agarrar a aquella camarera y sacarla a patadas en el culo a contemplarlo, pero no me atreví. Aquella mujer era capaz de hacer que la eternidad y el infinito se derritiesen y se te escurriesen entre los dedos. Se apreciaba en el aire el escozor dulce de la helada y Charley, que iba caminando delante, fue saludando parsimoniosamente a toda una hilera de aligustres podados, emitiendo vapor al tiempo que lo hacía. Cuando volvió fue para mí un placer y una alegría. Le di tres galletas de perro, deshice la cama estéril y me fui a dormir a Rocinante.

No es impropio de mí el que para dirigirme hacia el oeste haya de ir primero hacia el este. He tenido siempre esa tendencia. Iba camino de Deer Isle por una muy buena razón. Mi vieja amiga y colega Elizabeth Otis va allí todos los años desde hace mucho tiempo. Cuando habla de aquel lugar, asoma a sus ojos un brillo ultraterreno y enmudece del todo. Cuando yo estaba planeando mi viaje, me dijo:

—Supongo que harás una parada en Deer Isle.

—Queda fuera de mi ruta.

—Tonterías—dijo ella en un tono que conozco muy bien. Deduje por su voz y su actitud que si no iba a Deer Isle sería mejor que no volviese a asomar la cara por Nueva York. Elizabeth había llamado por teléfono a la señora Eleanor Brace, que era con quien paraba siempre ella y ya no había nada que hacer. Estaba comprometido. Lo único que sabía yo de Deer Isle era que no había nada que pudieses decir de ella, pero que estabas loco si no ibas allí. Además, la señora Brace estaba esperando por mí.

Me perdí completamente en Bangor, con el tráfico y los camiones, el atronar de las bocinas y los cambios de luces. Recordé vagamente que debería estar en la carretera nacional 1 de los Estados Unidos y la encontré y recorrí más de quince kilómetros en dirección contraria a la que debería haber seguido, volviendo hacia Nueva York. Me habían da-do instrucciones escritas de cómo ir, instrucciones detalladas, ¿pero os habéis dado cuenta alguna vez de que las instrucciones de alguien que conoce la zona te hacen perderte más de lo que estás, incluso cuando son correctas? Me perdí también en Ellsworth, cosa que me han dicho que es imposible. Luego las carreteras se estrecharon y me pa-saban atronando los camiones madereros. Estuve perdido casi todo el día, a pesar de que encontré Blue Hill y Sedgwick. Al final de aquella tarde de desesperaciones paré y me acerqué a un mayestático policía motorizado de Maine. Qué hombre aquél, era como de granito excavado en Portland, un modelo perfecto para una futura estatua ecuestre. Me pregunté si se esculpirían en coches patrulla o jeeps de mármol los futuros héroes...

—Creo que me he perdido, agente. ¿Podría usted orientarme, por favor?

—¿Adónde quiere ir?

—Estoy intentando llegar a Deer Isle.

Me miró atentamente, y después de que se convenció de que no estaba gastándole una broma se balanceó sobre las caderas y señaló hacia una pequeña extensión de agua sin tomarse siquiera la molestia de hablar.

—¿Es ahí?

Movió la cabeza de arriba abajo y la dejó abajo.

—Bueno, ¿y cómo llego allí?

Me han dicho siempre que la gente de Maine es más bien taciturna, pero para aquel candidato a una talla en el monte Rushmore señalar dos veces en una tarde era ser insoportablemente charlatán. Desplazó la barbilla en un pequeño arco en la dirección por la que había llegado yo. Si no estuviese avanzada ya la tarde habría intentado sacarle otra palabra aunque mi intento probablemente estuviese condenado al fracaso.

—Gracias—dije, y me pareció como si la palabra resonase eternamente.

Había primero un puente de hierro muy alto, con un arco tan alto como un arco iris, y poco después un puente bajo de piedra construido con la forma de una curva en S y tras él estaba ya en Deer Isle. Mis instrucciones escritas decían que tenía que tomar todas las carreteras laterales que estuviesen a la derecha, y la palabra *todas* estaba subrayada. Subí un cerro y giré a la derecha por una carretera más pequeña que entraba por un pinar y volví a girar a la derecha siguiendo unas rodadas marcadas sobre agujas de pino. Es tan fácil una vez que lo has hecho... No podía creer que encontrase el lugar, pero a unos cien metros estaba la vieja casona de la señora Eleanor Brace, y allí estaba ella para darme la bienvenida. Dejé salir a Charley y de pronto cruzó el claro entre los pinos un furioso relampagueo de gris y se precipitó en el interior de la casa. Era George. No acudió a darme la bienvenida y sobre todo no se la dio a Charley. Nunca conseguí ver bien a George, pero su huraña presencia estaba en todas partes. Pues George es un viejo gato gris que ha acumulado un odio a la gente y a las cosas tan intenso que hasta escondido en el piso de arriba te comunica que está rezando porque te vayas. Si cayese la bomba y acabase con todos los seres vivos salvo la señora Brace, George se sentiría feliz. Así sería como diseñaría el mundo él si le tocase hacerlo. Y podría no llegar a enterarse jamás de que el interés de Charley por él era puramente cortés; si se hubiese enterado se habría sentido ofendido en su misantropía, pues a Charley no le inspiran el menor interés los gatos en general, ni siquiera con fines persecutorios.

No le causamos ningún problema a George porque nos alojamos durante dos noches en Rocinante, pero me han dicho que cuando los huéspedes duermen en la casa él se va a los pinares y vigila desde lejos, rezongando su insatisfacción y manifestando su hostilidad. La señora Brace admite que para las funciones de un gato, sean las que sean, George no vale absolutamente nada. No es una buena compañía, no es simpático y tiene poco valor estético.

—Debe cazar entonces ratas y ratones—sugerí intentando colaborar.

—Jamás—dijo la señora Brace—. No se le ocurriría siquiera. ¿Y quiere saber una cosa? George es una chica.

Yo tenía que contener a Charley porque la presencia de George estaba en todas partes. En tiempos más ilustrados en que se entendía mejor lo de las brujas y los familiares, George habría acabado en una hoguera, porque si alguna vez ha habido un familiar y enviado del demonio, un aliado de los malos espíritus, ése es George.

No hay que ser demasiado sensible para percibir la rareza de Deer Isle. Y si gente que ha estado yendo allí muchos años no es capaz de describirla, ¿qué puedo hacer yo después de dos días? Es una isla que se acurruca como un niño de teta contra el pecho de Maine, pero hay muchas que lo hacen. El agua recogida y misteriosa parece sorber la luz, pero eso ya lo he visto antes. Los pinares susurran y el viento gime azotando el campo abierto que es como Dartmoor. Stonington, la población principal de Deer Isle, no parece en absoluto una población de los Estados Unidos ni por su emplazamiento ni por la arquitectura. Sus casas descienden de forma escalonada hacia el agua tranquila de la bahía. Es una población que recuerda mucho a Lume Regis, en la costa de Dorset, y apostaría con mucho gusto a que los colonos que la fundaron procedían de Dorset o Somerset o Cornualles. El inglés de Maine se parece al del este de Inglaterra, las vocales dobles se pronuncian como en anglosajón, pero la similitud es el doble de fuerte en Deer Isle. Y la gente de la costa de más abajo del canal de Bristol es gente reservada, y tal vez gente mágica. Hay un no sé qué en el fondo de sus ojos, tan profundamente escondido que es posible que ni siquiera ellos sepan que lo tienen. Y lo mismo sucede con los habitantes de Deer Isle. Dicho con mayor claridad: la isla es como Avalon; debe desaparecer cuando tú no estás allí. O consideremos por ejemplo el misterio de los gatos mapaches de Maine, unos gatos inmensos, sin rabo, de color gris y con rayas negras, que es por lo que los llaman gatos mapaches. Son salvajes; viven en los bosques y son muy feroces. De vez en cuando un nativo recoge un gatito y lo cría, y es una satisfacción para él, casi un honor, pero los gatos mapaches raras veces llegan a estar ni siquiera ligeramente domesticados. Siempre corres peligro de que te arañe o te muerda. Estos gatos proceden sin duda de los gatos de Manx y aunque se les cruce con gatos domésticos aportan la carencia de rabo a las crías. Se cuenta que a los antepasados de los gatos mapaches los llevó allí un capitán de barco y que no tardaron en volverse salvajes. Pero me pregunto de dónde sacarían su tamaño. Son el doble de grandes que cualquier gato de Manx que yo haya visto. ¿Es posible que se cruzaran con linces? No lo sé. No lo sabe nadie.

Abajo, junto al puerto de Stonington, están sacando a tierra las embarcaciones de verano para guardarlas. Y no sólo aquí sino en otras ensenadas próximas hay trampas muy grandes para langostas atestadas de esas langostas de Maine de caparazón oscuro de las aguas oscuras que son las mejores langostas del mundo. La señora Brace encargó tres, no más de seiscientos gramos, dijo, y esa noche quedó demostrada su excelencia por encima de cualquier duda. No hay langostas como ésas... no tienen igual en ninguna parte, simplemente hervidas, sin necesidad de ninguna salsa de fantasía, sólo mantequilla fundida y limón. Hasta si las transportas en barco o en avión vivas fuera de su entorno natural pierden algo.

En una tienda maravillosa de Stonington, mitad ferretería y mitad establecimiento de artículos náuticos, compré una lámpara de queroseno con un reflector de latón para Rocinante. Tenía miedo a quedarme sin gas butano en algún sitio, y ¿cómo iba a leer en la cama entonces? Atornillé el soporte de la lámpara a la pared encima de la cama y recorté la mecha para conseguir una mariposa dorada de llama. Y la utilicé a menudo en mi viaje para dar calidez y color, además de luz. Era exactamente la misma lámpara que había en las habitaciones del rancho en que viví de niño. Y jamás se diseñó una luz más placentera, aunque los veteranos dicen que el aceite de ballena hace mejor llama.

Ya he demostrado que no soy capaz de describir Deer Isle. Hay algo allí que no abre ninguna puerta a las palabras. Pero permanece contigo después y, más que eso, cosas que no sabías que sabías vuelven a ti después de que te has ido. Recuerdo claramente una. Es posible que se debiese a que la estación tiene una calidad de luz especial, o a la claridad otoñal. Todas las cosas se mantenían diferenciadas entre sí, una roca, una masa redondeada de madera flotante pulimentada por el mar en la playa, el perfil de un tejado. Cada pino era él mismo, independiente y separado aunque formase parte de un bosque. Trazando un arco muy largo de relaciones, ¿podría decir que la gente posee la misma cualidad? La verdad es que nunca vi individualistas tan ardorosos. No me habría gustado nada tener que obligarles a hacer algo que ellos no quisieran hacer. Oí muchas historias sobre la isla y me dieron mucho consejo taciturno. Sólo repetiré una advertencia de un nativo de Maine y no pondré nombre a esa persona por miedo a represalias.

—No pida nunca instrucciones a un nativo de Maine para llegar a un sitio—se me aconsejó.

—¿Por qué no?

—No sé por qué, pero el caso es que nos parece divertido dar indicaciones erróneas a la gente y no sonreímos cuando lo hacemos, sino que nos reímos por dentro. Es nuestro carácter.

Me pregunto si será verdad. No pude nunca ponerlo a prueba, porque ando perdido la mayor parte del tiempo por méritos propios sin que necesite la ayuda de nadie.

He hablado con aprobación, incluso con afecto, de Rocinante pero no de la camioneta sobre la que se asienta la caravana. Era un nuevo modelo, con un potente motor V-6.

Tenía transmisión automática y un generador enorme para que pudiera disponer de luces en el interior si las necesitaba. El sistema de refrigeración estaba tan cargado de anticongelante que podría haber soportado temperaturas polares. Creo que los automóviles de pasajeros que se fabrican en este país están hechos para durar poco, con la finalidad de que haya que sustituirlos. No sucede lo mismo con los camiones. Un camionero necesita muchos más miles de kilómetros de buen servicio que el propietario de un coche de pasajeros. A él no hay que deslumbrarle con adornos y aletas y otras zarandajas y no se le exige por cuestión de estatus comprar un nuevo modelo cada año o así para mantener el prestigio social. En mi camioneta todo estaba hecho para durar. El chasis era sólido, el metal resistente, el motor grande y fuerte. Por supuesto lo traté bien por lo que se refiere al engrasado y a los cambios de aceite y no lo puse al límite ni lo forcé a hacer acrobacias propias de los coches deportivos. La cabina tenía pared doble y tenía instalado un buen calentador. Cuando regresé después de más de dieciséis mil kilómetros, el motor no estaba más que bien rodado. Y no me falló ni se me caló ni una sola vez en todo el viaje.

Fui subiendo por la costa de Maine, atravesando Millbridge y Addison y Machias y Perry y South Robbinston, hasta que no hubo ya más costa. Nunca había sabido, o se me había olvidado, cuánta parte de Maine penetra como un pulgar en Canadá con New Brunswick al este. Sabemos tan poco de nuestra propia geografía... Lo cierto es que Maine se extiende hacia el norte casi hasta la desembocadura del San Lorenzo y su frontera superior queda tal vez a unos ciento sesenta kilómetros al norte de Quebec. Y otra cosa que yo había olvidado convenientemente era lo increíblemente inmensos que son los Estados Unidos. Mientras conducía en dirección norte a través de los pueblecitos y de unos bosques cada vez mayores que se perdían en el horizonte, la estación cambiaba rápidamente y de una forma desproporcionada. Quizás fuese que me estaba manteniendo lejos de la presencia equilibradora del mar, y también quizás que estaba internándome mucho en el norte. Las casas daban la impresión de estar muy castigadas por la nieve, y muchas estaban aplastadas y desiertas, abatidas por los inviernos. Salvo en los pueblos donde había pruebas de una población que había vivido allí en otros tiempos y cultivado la tierra y tenido su ser y que había sido expulsada luego. Los bosques recuperaban el terreno perdido, y por donde habían circulado antes los carros circulaban atronadores los grandes camiones madereros. Y había vuelto la caza, también; salían los ciervos a la carretera y había huellas de osos.

Hay costumbres, actitudes, mitos y tendencias y cambios que parecen formar parte de la estructura de los Estados Unidos. Y me propongo analizarlos en el momento en que atrajeron mi atención por primera vez. Mientras se desarrollan esos análisis tendréis que imaginarme rodando por alguna carreterita o parado junto a un puente o cocinando una gran olla de alubias blancas con tocino. Y el primero de esos análisis se relaciona con la caza. No podría haber eludido la caza aunque hubiese querido, ya que en el otoño es cuando se abre la veda. Hemos heredado muchas actitudes de nuestros antepasados recientes que lucharon a brazo partido con este continente lo mismo que Jacob luchó con el ángel. Y los colonizadores ganaron. De ellos nos viene el convencimiento de que todo estadounidense es un cazador nato. Y todos los otoños un gran número de hombres salen a demostrar que tienen una excelente puntería con un rifle o una escopeta. Los resultados son horrorosos. Desde el momento mismo en que dejé Sag Harbor empezaron ya a atronar los disparos contra los patos migratorios, y a medida que me iba internando en Maine los disparos de rifle en los bosques habrían ahuyentado a los «casacas rojas», fuese cual fuese su número, siempre que no supiesen lo que estaba pasando. Esto va a darme mala fama sin duda como deportista, pero permitidme que os diga al mismo tiempo que no tengo nada en contra de que se maten animales. Algo tiene que matarlos, supongo. Cuando era joven me arrastré muchas veces kilómetros en medio de un viento gélido por la pura gloria de abatir una polla de agua que ni siquiera empapada de agua salada valía gran cosa como alimento. No me gusta demasiado la carne de venado ni el oso ni el alce, exceptuando el hígado. Las recetas, las hierbas, el vino, la preparación que acompañan a un buen guiso de venado convertirían un zapato viejo en la delicia de un gurmet. Si tuviese hambre cazaría contento cualquier cosa que corra o se arrastre o vuele, parientes incluidos, y la desgarraría con los dientes. Pero no es el hambre lo que empuja a millones de estadounidenses armados a bosques y cerros cada otoño, como demuestran los elevados porcentajes de ataques cardíacos entre los cazadores. El proceso de la caza se relaciona de algún modo con la masculinidad, pero no sé exactamente cómo. Sé que hay cierto número de cazadores buenos y eficientes que saben lo que están haciendo; pero hay muchos más que son caballeros obesos, cargados de whisky y armados con rifles de gran potencia. Disparan contra cualquier cosa que se mueva o que parezca que podría, y su éxito matándose unos a otros es posible que evite una explosión demográfica. Si las víctimas fueran todas de su propia clase no habría ningún problema, pero la matanza de vacas, cerdos, campesinos, perros y carteles indicadores convierte el otoño en una estación peligrosa para viajar. Un campesino del norte del estado de Nueva York pintó la palabra *vaca* con grandes letras negras en ambos costados de una suya blanca, pero los cazadores la abatieron a pesar de ello. En Wisconsin, cuando yo lo cruzaba, un cazador le pegó un tiro entre los omoplatos a su propio guía. Cuando las autoridades interrogaron a este Nemrod le preguntaron:

—¿Pensó usted que era un ciervo?

—Sí señor, eso pensé.

—Pero no estaba seguro de que lo fuese.

—Bueno, no señor. Creo que no.

Con la barrera de fuego retumbante que estremecía

Maine, yo temí por mi persona, desde luego (fueron alcanzados cuatro automóviles por los disparos en pleno día), pero tenía miedo sobre todo por Charley. Sé que para esos cazadores un caniche se parece mucho a un ciervo y pensé que tenía que inventar algún medio de protegerle. En Rocinante había una caja de pañuelos de papel rojos que alguien me había dado como regalo. Envolví con ellos el rabo de Charley y los aseguré con goma elástica. Renovaba esta bandera todas las mañanas, y la llevó siempre en nuestro viaje hacia el oeste mientras silbaron y gimieron las balas a nuestro alrededor. No pretendo hacer gracia con esto. La radio prevenía del peligro que podía entrañar llevar un pañuelo blanco. Había habido demasiados cazadores que al ver un parpadeo de blanco lo habían tomado por el rabo de un ciervo en fuga y habían curado un catarro de un solo disparo.

Pero este legado de los hombres de la frontera no es nada nuevo. Cuando yo era niño en un rancho de cerca de Salinas, en California, teníamos un cocinero chino que obtenía regularmente un modesto beneficio de él. En un risco cercano había un tronco de sicómoro sostenido por dos de sus ramas rotas. A Lee le llamó la atención aquel pedazo de madera salpicado de manchas de color beis por la cantidad de agujeros de bala que tenía. Le clavó un par de cuernos en un extremo y luego se retiró a su cabaña hasta que terminó la temporada de la caza del ciervo. Entonces recogió el plomo del viejo tronco de árbol. Hubo temporadas en que consiguió veinte o treinta kilos de él. No era una fortuna pero era dinero. Al cabo de un par de años, en que el árbol estaba ya completamente destrozado, Lee lo sustituyó por cuatro sacos de arpillera llenos de arena y la misma cornamenta. Entonces fue aún más fácil recoger la cosecha. Si hubiese instalado cincuenta chismes de aquéllos habría hecho una fortuna. Pero Lee era un hombre humilde que no estaba interesado en la producción en serie.

Maine parecía extenderse interminablemente. Yo sentía lo que debió de sentir Peary cuando se aproximaba a lo que él creía que era el polo norte. Pero yo quería ver el condado de Aroostook, el gran condado septentrional de Maine. Hay tres grandes zonas productoras de patatas: Idaho, el condado de Suffolk en Long Island y Aroostook, Maine. Habían hablado del condado de Aroostook muchísimas personas, pero yo no había conocido nunca a nadie que hubiese estado realmente allí. Me habían dicho que recogían la cosecha francocanadienses que cruzaban la frontera en ese periodo de la recolección. Mi ruta se prolongó interminablemente a través de un territorio boscoso y pasé por muchos lagos, que aún no estaban helados. Elegí siempre que pude las carreteras forestales pequeñas y no son propicias para la velocidad. Subió la temperatura y llovía sin parar y los bosques lloraban. Charley nunca llegaba a estar seco y olía como si estuviese mohoso. El cielo era de un color aluminio gris mojado y no había ninguna indicación sobre aquel escudo traslúcido de dónde podría estar el sol, así que no podía saber la dirección. En una carretera con muchas curvas podía estar dirigiéndome al este o al sur o al oeste en vez de ir hacia el norte como quería. Ese viejo cuento de que el musgo crece en la parte norte de los árboles me engañó cuando era *boyscout.* El musgo crece en la parte que está a la sombra y eso puede ser cualquier lado. Decidí comprar una brújula en el pueblo siguiente, pero no había ningún pueblo siguiente en la carretera por la que estaba yendo. Cayó la oscuridad y tamborileaba la lluvia en el techo de acero y trazaban sus arcos sollozantes las escobillas en el parabrisas. Bordeaban la carretera árboles altos y sombríos que invadían la grava. Daba la sensación de que hacía horas que no me había cruzado con un coche o pasado una casa o una tienda, pues aquello era una zona recuperada por el bosque. Se asentó sobre mí una soledad desoladora... una soledad casi aterradora. Charley, mojado y tembloroso, permanecía enroscado en el rincón de su asiento y no brindaba ninguna compañía. Paré antes de la entrada de un puente de hormigón, pero no pude encontrar un sitio llano en la orilla inclinada de la carretera.

Hasta el interior de la caravana resultaba desolado y húmedo. Subí la camisa de la lámpara de gas, encendí la de queroseno y los dos quemadores de la cocina para ahuyentar la soledad. Tamborileaba la lluvia en el techo metálico. No había nada en mi reserva de víveres que pareciese comestible. Caía la oscuridad y los árboles se juntaban más. Parecían oírse voces por encima de los tambores de la lluvia, como si hubiese una multitud cuchicheando y murmurando entre bastidores. Charley estaba inquieto. No ladraba dando la voz de alarma, pero gruñía y gemía desasosegado, lo que es muy impropio de él, y no quiso cenar y dejó el plato del agua intacto... y eso en un perro que se bebe todos los días su peso en agua y que necesita hacerlo para desaguarla después. Sucumbí completamente a mi desolación, me hice dos emparedados de manteca de cacahuete y me metí en la cama y escribí largas cartas a casa, repartiendo mi soledad. Luego dejó de caer la lluvia y empezaron a gotear los árboles y yo ayudé a engendrar todo un enjambre de peligros secretos. Oh, podemos poblar la oscuridad con horrores, aunque nos consideremos informados y seguros, y no creamos en nada que no podamos medir y pesar. Yo sabía sin ningún género de duda que las cosas oscuras que se amontonaban sobre mí o no existían o no eran peligrosas para mí, pero de todos modos tenía miedo. Pensé lo terribles que deberían haber sido las noches en los tiempos en que los hombres creían que las cosas estaban allí y eran mortíferas. Pero no, eso es un error. Si yo supiese que estaban allí, habría tenido armas contra ellas, encantamientos, oraciones, algún tipo de alianza con fuerzas igualmente fuertes pero de mi bando. El saber que no estaban allí hacía que estuviese indefenso contra ellas y que tuviese tal vez más miedo.

Hace ya mucho tiempo fui propietario de un rancho en las montañas de Santa Clara, en California. Había un sitio donde un bosque de madroños gigantes unían sus copas sobre una laguna de montaña, un lago sombrío alimentado por la primavera. Si hay eso que llaman lugares encantados, aquél era uno, debido a la tenue luz que se filtraba entre las hojas de los árboles y a varios trucos de perspectiva. Yo tenía trabajando para mí a un filipino, un montañés, bajo y oscuro y callado, tal vez de raza maorí. Un día, pensando que debía proceder de un sistema tribal capaz de identificar lo invisible como una parte de la realidad, le pregunté si no le daba miedo aquel lugar embrujado, sobre todo de noche. Él dijo que no tenía miedo porque años atrás un doctor brujo le había enseñado un encantamiento contra los malos espíritus.

—Déjeme verlo—le pedí.

—Son palabras—dijo—. Es un encantamiento compuesto por palabras.

—¿Puede decírmelas?

—Claro—dijo, y atronó—: *In nomine Patris et Filii et Spiritus Sancti.*

—¿Qué significa?—pregunté.

Se encogió de hombros.

—No sé—dijo—. Es un encantamiento contra los malos espíritus, así que no les tengo miedo.

He desenterrado esta conversación de un español de extraños sonidos pero no hay ninguna duda respecto al encantamiento de aquel hombre y a él le funcionaba.

Tumbado en la cama bajo la noche llorosa me esforcé todo cuanto pude por leer para alejar la tristeza de mi pensamiento, pero mientras mis ojos iban recorriendo las líneas yo escuchaba los ruidos de la noche. Al borde ya del sueño me hizo despertarme estremecido un nuevo sonido, el rumor de pisadas, me pareció, avanzando furtivas por la grava. En la cama, a mi lado, tenía una linterna de sesenta centímetros de longitud, hecha especialmente para los cazadores de mapaches. Lanza un potente chorro de luz que llega hasta una distancia de más de kilómetro y medio. Me levanté de la cama y bajé de la pared la carabina 30/30 y escuché de nuevo junto a la puerta de Rocinante... y oí que los pasos se acercaban más. Entonces Charley lanzó su rugido de aviso y abrí la puerta e inundé la carretera de luz. Era un hombre con botas y un impermeable amarillo. La luz le inmovilizó.

—¿Qué quiere?—dije.

Debí de asustarle. Tardó un momento en contestar.

—Quiero ir a mi casa. Vivo por esta carretera, más arriba.

Y entonces comprendí toda aquella bobada, el ridículo esquema que había ido acumulándose capa sobre capa.

—¿Quiere una taza de café o beber algo?

—No, es tarde. Si me apartara esa luz de la cara seguiría.

Apagué la linterna y desapareció, pero su voz dijo al pasar:

—Ahora que lo pienso, ¿qué hace usted aquí?

—Acampo—dije—, estoy sólo acampando por esta noche

Y, después de esto, me quedé dormido en cuanto me eché en la cama.

El sol estaba alto cuando desperté; y el mundo, relumbrante y rehecho. Hay tantos mundos como clases de días, e igual que un ópalo cambia sus colores y sus fuegos para ajustarse a la naturaleza del día, así hago yo. La soledad y los temores de la noche quedaban tan lejos que casi no podía recordarlos.

Hasta Rocinante parecía ir dando saltos de alegría por la carretera, sucio y cubierto de agujas de pino como estaba. Se veían ya campos despejados entre los lagos y los bosques, campos con esa tierra friable y suelta que les gusta a las patatas. Recorrían las carreteras camiones de plataforma cargados con barriles de patatas vacíos y la máquina de sacar patatas extraía largas hileras de tubérculos de piel pálida.

Hay una palabra en español para la que no puedo encontrar equivalente en inglés. Es el verbo *vacilar*, participio de presente *vacilando*. No significa en absoluto vacilando. Si uno está vacilando es que va a algún sitio pero no le preocupa demasiado si consigue llegar allí o no, aunque lleve una dirección. Mi amigo Jack Wagner ha asumido a menudo esa actitud en México. Pongamos que queríamos caminar por las calles de Ciudad de México pero no al azar. Elegíamos algún artículo que fuese casi seguro que no hubiese y luego intentábamos diligentemente encontrarlo.

Yo quería ir hasta la cumbrera de Maine para empezar mi viaje antes de enfilar hacia el oeste. Parecía que proporcionaba un plan al viaje, y en este mundo todo ha de tener un plan porque si no la mente humana lo rechaza. Pero ha de haber además un propósito porque si no es la conciencia humana la que lo rehúye. Maine era mi plan, las patatas mi propósito. Mi categoría como *vacilador* no se habría resentido lo más mínimo si no hubiese visto ni una sola patata. Resultó que vi casi más patatas de las que necesitaba ver. Vi montañas de patatas, océanos, más patatas de las que le parecería a uno que pudiese consumir en cien años la población del mundo.

He visto muchos recolectores emigrantes por el país: hindúes, filipinos, mexicanos, okies fuera de sus estados. Allí en Maine muchos de ellos eran francocanadienses que cruzaban la frontera en la estación de la cosecha. Se me ocurre que, lo mismo que los cartagineses contrataban mercenarios que lucharan por ellos, nosotros los estadounidenses traemos mercenarios para que hagan nuestro trabajo duro y humilde. Ojalá no lleguen a arrollarnos un día gentes no demasiado orgullosas o demasiado perezosas o demasiado blandas para inclinarse hacia la tierra y recoger las cosas que comemos.

Aquellos «canucos» eran gente dura. Viajaban y acampaban por familias y grupos de familias, tal vez clanes incluso: hombres, mujeres, muchachos, muchachas y niños pequeños también. Sólo los bebés no trabajaban recogiendo patatas y metiéndolas en los barriles. Los estadounidenses conducían los camiones y utilizaban un cabrestante y una especie de grúa para izar a bordo los barriles llenos. Luego se iban a depositarlos en los depósitos con tierra apilada a los lados hasta arriba para que no se helaran.

Mi conocimiento del francés canuco procede de películas, normalmente de Nelson Eddy y Jeanette MacDonald, y consiste principalmente en «By gar». Es curioso, pero no oí ni a un solo recogedor de patatas de aquellos decir «By gar», y debían de haber visto las películas y saber lo que está bien. Mujeres y muchachas vestían pantalones, normalmente de pana, y jerséis gruesos, y se cubrían la cabeza con pañuelos de brillantes colores para protegerse el pelo del polvo que se levanta en los campos al más leve viento. La mayoría de aquella gente viajaba en grandes camiones cubiertos con lonas impermeabilizadas oscuras, pero había remolques y unas cuantas caravanas como Rocinante. De noche, algunos dormían en los camiones y remolques, pero había tiendas de campaña instaladas en sitios agradables y los olores que llegaban de los fuegos en los que cocinaban indicaban que no habían perdido su talento francés para hacer sopa.

Afortunadamente las tiendas y camiones y dos remolques estaban instalados a la orilla de un lago de aguas claras encantador. Aparqué a Rocinante a unos cien metros de distancia pero también al borde del lago. Luego puse café a hacerse y saqué la colada del cubo de la basura, que había estado dos días zangoloteando, y la aclaré en la orilla del lago. Las actitudes hacia los desconocidos surgen misteriosamente. Yo tenía el viento de cara respecto al campamento y llegaba hasta mí el aroma de la sopa. No sabía nada de aquella gente, podrían haber sido unos asesinos, unos sádicos, unos brutos, unos feos y simiescos subhumanos, pero de pronto me sorprendí pensando: «Qué gente tan encantadora, qué estilo, qué hermosos son. Cómo me gustaría conocerlos». Y todo basado en el olor delicioso de la sopa.

Mi embajador para establecer relaciones con gente desconocida es Charley. Lo suelto y se lanza hacia el objetivo, o más bien hacia lo que el objetivo pudiese estar preparando para cenar. Luego voy a por él para que no moleste a mis vecinos... *et voilà!* Un niño puede hacer la misma cosa, pero un perro es mejor.

El incidente se desarrolló con toda la facilidad que se podría esperar de un guión probado y bien ensayado. Envié a mi embajador y tomé una taza de café mientras le daba tiempo para actuar. Luego me acerqué al campamento para librar a mis vecinos de la molestia de mi chucho miserable. Eran gente de agradable aspecto, una docena en total, sin contar los niños, tres chicas lindas y dadas a las risillas, dos mujeres pechugonas y una tercera más pechugona aún y embarazada, un patriarca, dos cuñados y una pareja de hombres jóvenes aspirantes a cuñados. Pero el jefe efectivo, con el respeto debido al patriarca, claro, era un hombre de unos treinta y cinco años de edad de aspecto distinguido, ágil y ancho de hombros, con el cutis de fresas con nata propio de una muchacha y pelo negro crespo y ondulado.

El perro no les había molestado nada, dijo. La verdad era que habían comentado que era un perro bonito. Yo, por supuesto, no podía ser del todo objetivo a pesar de sus defectos, siendo como era su propietario, pero aquel perro tenía una ventaja sobre los demás perros. Había nacido y se había educado en Francia.

El grupo cerró filas. A las tres lindas muchachitas se les escapaba la risilla y tenían que contenerlas continuamente los ojos azul marino del jefe, respaldados por un siseo del patriarca.

¿Era cierto eso? ¿En qué parte de Francia?

En Bercy, en las cercanías de París, ¿lo conocían?

No, nunca habían estado en la patria desgraciadamente.

Pensé que ojalá pudiesen remediar eso.

Tendrían que haberse dado cuenta de que Charley era de nacionalidad francesa por los modales. Ellos habían observado mi *roulotte* con admiración.

Era sencilla pero cómoda. Si les parecía bien, tendría mucho gusto en enseñársela.

Era muy amable. Sería para ellos un placer.

Si pensáis que el tono elevado es indicio de que esto se desarrollaba en francés, estáis equivocados. El jefe hablaba un inglés muy puro y meticuloso. La única palabra francesa utilizada fue *roulotte*. Los apartes entre ellos los hacían en canuco. Mi francés es ridículo, en realidad. No, el tono elevado era parte de la pompa de entablar una relación. Recogí a Charley. ¿Podría esperarlos después de aquella cena que por lo que olía tenían en el fuego?

Se sentirían honrados.

Puse en orden mi casa, calenté y comí una lata de carne con chile, me aseguré de que la cerveza estaba fría e incluso cogí un ramo de hojas otoñales y lo puse en una botella de leche sobre la mesa. El rollo de vasos de papel que estaba allí justamente para una ocasión como aquélla había resultado aplastado por un diccionario volador en mi primer día de viaje, pero hice posavasos con servilletas de papel dobladas. Es asombroso lo que llega uno a trabajar para una fiesta. Luego Charley ladró anunciando su llegada y pasé a ser anfitrión en mi propia casa. Detrás de mi mesa pueden apretujarse seis personas, y lo hicieron. Luego, dos más a mi lado de pie y en la puerta de atrás se formó una corona de rostros de niños. Eran gente agradable pero muy formal. Abrí cerveza para los grandes y gaseosa para los de fuera.

A su debido tiempo aquellas personas me contaron unas cuantas cosas de ellas. Cruzaban la frontera todos los años para la recolección de las patatas. Trabajaban todos y conseguían reunir buenos ahorrillos para el invierno. ¿Tenían algún problema con la gente de emigración en la frontera? Bueno, no. Parecía que se flexibilizaban un poco las normas durante la época de la recolección y además allanaba las cosas un contratista al que pagaban un pequeño porcentaje de lo que ganaban. Bueno, en realidad no le pagaban ellos. Cobraba directamente de los cosecheros. He conocido a buen número de emigrantes a lo largo de los años, okies y espaldas mojadas mexicanos y los negros que se trasladan a Nueva Jersey y a Long Island. Y en todos los sitios en que les he visto había siempre un contratista detrás para allanarles el camino por una módica suma. Años atrás los cosecheros procuraban traer más trabajadores de los que necesitaban para poder bajar los jornales. Eso no parece que pase ya, pues los organismos del gobierno canalizan sólo el número de trabajadores que hacen falta y se mantiene una especie de salario mínimo. En otros casos los emigrantes se han visto obligados a desplazarse y realizar el trabajo estacional forzados por la pobreza y por una situación terrible de necesidad.

Era evidente que a mis invitados de aquella noche no les trataban mal ni se habían visto obligados a ir allí. Aquel clan, después de poner a dormir para el invierno sus pequeñas propiedades en la provincia de Quebec, cruzaban la frontera para hacerse con unos ahorrillos. Llevaban consigo incluso una pequeña sensación de vacaciones, casi como los recogedores de lúpulo y de fresas de Londres y de las ciudades del Midland de Inglaterra. Era gente dura y autónoma, muy capaz de cuidar de sí misma.

Abrí más cerveza. Después de la noche de soledad desoladora me sentía muy bien rodeado de gente cordial y amistosa pero cauta. Vacié un pozo artesiano de buenos sentimientos e hice un pequeño discurso en un francés rudimentario. Empezaba así: «Messy dam. Je vous porte un cher souvenir de la belle France... en particulier du Departement de Charente».

Parecían sorprendidos pero interesados. Luego John, el jefe, tradujo lentamente mi discurso a un inglés de instituto de enseñanza media y volvió a pasarlo a francés canadiense.

—¿Charente?—preguntó—. ¿Por qué Charente?

Me agaché y abrí un compartimento de debajo del fregadero y saqué una botella de un coñac muy viejo y reverendo que había llevado para bodas, para la mordedura de la helada y para los ataques cardíacos. John examinó la etiqueta con la atención devota que podría consagrar un buen cristiano al santísimo sacramento. Y sus palabras fueron reverentes:

—Dios santo—dijo—. Lo había olvidado. Charente... ahí es donde está Cognac.

Luego leyó el supuesto año de la natividad de la botella y repitió quedamente sus primeras palabras.

Le pasó después la botella al patriarca, que estaba en su rincón, y el anciano sonrió tan dulcemente que pude ver por primera vez que le faltaban los dientes de delante. El cuñado emitió un ronroneo de garganta como un gato feliz y las damas embarazadas gorjearon como *alouettes* cantando al sol. Le pasé a John un sacacorchos mientras yo preparaba la cristalería... tres tazas de café de plástico, un tarro de mermelada, un cuenco de afeitarse y varios frascos de pastillas de boca ancha. Vacié las pastillas en una salsera y los enjuagué con agua del grifo para quitarles el olor a germen de trigo. El coñac era muy bueno, mucho, y desde el primer «santé» susurrado y el primer sorbo repiqueteante podías ver cómo iba creciendo, hasta llenar del todo Rocinante, la Hermandad del Hombre... y de las mujeres también.

Rechazaron una segunda ronda y yo insistí. Y el reparto de la tercera se hizo partiendo de la base de que no merecía la pena dejar lo poco que quedaba. Y con las pocas gotas repartidas de esa tercera ronda inundó Rocinante una magia humana triunfante capaz de bendecir una casa, o una camioneta, por qué no... nueve personas reunidas en completo silencio y las nueve partes componiendo un todo con la misma seguridad con que son parte de mí los brazos y las piernas, separados pero inseparables. Rocinante se llenó de un brillo que nunca llegó ya a perder del todo.

Una situación de ese género no puede prolongarse y no debería. El patriarca emitió algún tipo de señal. Mis invitados salieron de sus apretujados asientos de detrás de la mesa y los *adieux* fueron breves y educados, como tenían que ser. Luego se adentraron en la noche, su ruta hacia casa iluminada por el jefe John que llevaba una linterna de queroseno de latón. Se alejaron en silencio rodeados de tambaleantes niños dormidos y nunca volví a verlos. Pero me gustan.

No bajé la cama porque quería salir muy temprano. Me acurruqué detrás de la mesa y dormí un ratito hasta que, a la tenue luz que precede a la aurora, Charley me miró a la cara y dijo «Ftt». Mientras se calentaba el café hice un letrerito de cartón y lo metí en el cuello de la botella de coñac vacía, luego crucé el campamento en el que todos dormían y coloqué la botella donde pudieran verla bien. El letrero decía: «*Enfant de France. Mort pour la Patrie*». Y salí de allí lo más silenciosamente que pude, pues aquel día tenía pensado dirigirme hacia el oeste un breve trecho y luego coger la larga carretera que va hacia el sur cruzando Maine en toda su extensión. Hay ocasiones que uno atesora para toda la vida, y esas ocasiones están grabadas a fuego, clara y nítidamente, sobre el material del recuerdo total. Me sentí muy afortunado aquella mañana.

En un viaje como el mío hay tanto que ver y sobre lo que pensar que el acontecimiento y el pensamiento que te inspiraba se agitaban y hervían como una *minestrone* haciéndose a fuego lento. Hay gente de mapa que goza prodigando más atención a las hojas de papel coloreado que a la tierra coloreada por la que están pasando. He escuchado relatos de esos viajeros en los que se recordaban todos los números de las carreteras, los kilómetros y todos los pequeños territorios descubiertos. Hay otro tipo de viajeros que necesitan saber sobre el mapa en cada momento dónde están exactamente, como si las líneas negras y rojas, las indicaciones punteadas y el azul desvaído de los lagos y los sombreados que indican las montañas proporcionasen algún tipo de seguridad. A mí no me pasa eso. Yo nací perdido y no me causa ningún placer que me encuentren, ni me siento demasiado identificado con los contornos que simbolizan continentes y estados. Además, las carreteras cambian, crecen, se ensanchan o se abandonan tan a menudo en nuestro país que tiene uno que comprar los mapas de carreteras como si fueran diarios. Pero como conozco las pasiones de la gente de los mapas puedo explicar que me desplacé hacia el norte en Maine aproximadamente en paralelo a la carretera 1 de los Estados Unidos, atravesando Houlton, Mars Hill, Presque Isle, Caribou, Vam Buren, giré hacia el oeste, aún en la 1, pasé por Madawaska, Upper Frenchville y Fort Kent, luego enfilé hacia el sur en la carretera 11 del estado y pasé por Eagle Lake, Winterville, Portage, Squa Pan, Masardis, Knowles Corner, Patten, Sherman, Grindstone y llegué así a Millinocket.

Puedo decir esto porque tengo un mapa delante, pero lo que recuerdo no tiene ninguna relación con los números y las líneas coloreadas y los garabatos. He incluido esa ruta como una concesión y no lo convertiré en un hábito. Lo que recuerdo son las largas avenidas bordeadas de árboles en medio de la helada, las granjas y casas preparadas para afrontar el invierno, el habla lacónica y sin inflexiones de Maine en las tiendas de los cruces de carreteras en que paré a comprar suministros. Los muchos ciervos que cruzaron la carretera sobre ágiles cascos y que escapaban como goma saltarina al paso de Rocinante. El atronar de los camiones madereros. Y la idea siempre presente de que aquella inmensa región había estado en otros tiempos mucho más poblada y se hallaba ahora entregada al avance del bosque, a los animales, los campamentos madereros y el frío. Las grandes ciudades están haciéndose más grandes y los pueblos más pequeños. La tienda de pueblo, sea de comestibles, general, ferretería, de ropa, no puede competir con el supermercado y el montaje en cadena. Nuestra estimada y nostálgica imagen de la tienda de pueblo, la tienda sin refinamientos donde se reúne un campesinado informado a expresar su opinión y a formular el carácter nacional está desapareciendo muy deprisa. Gente que mantenía en otros tiempos fortalezas familiares contra el viento y las inclemencias del tiempo, contra los azotes de la helada y la sequía y los insectos enemigos, se apiña ya contra el concurrido pecho de la gran ciudad.

Lo que el nuevo estadounidense estima y lo que le estimula está en las calles congestionadas de tráfico, en los cielos cubiertos de contaminación, ahogados por los ácidos de la industria, en el rechinar de los neumáticos y en esas casas que parecen cinchadas unas a otras, mientras los pueblecitos se marchitan durante un tiempo y terminan muriéndose. Y acabé descubriendo que esto es tan cierto en Texas como en Maine. Clarendon sucumbe ante Amarillo, con la misma seguridad con que Staceyville, Maine, vierte su sustancia en Millinocket, donde se trituran los troncos de los árboles, el aire huele a sustancias químicas, los ríos están ahogados y envenenados y por las calles hormiguea esa raza feliz y apresurada. No explico esto como una crítica sino sólo como una observación. Y estoy seguro de que, como todos los péndulos invierten el sentido de su oscilación, llegará un momento en que las ciudades congestionadas se desgarren como vientres dehiscentes y derramen otra vez a sus hijos por el campo. Ratifica esta profecía la tendencia de los ricos a hacer eso ya. Donde van los ricos, irán luego los pobres, o lo intentarán.

Hace unos años compré en Abercrombie and Fitch un reclamo de ganado, una bocina de automóvil que se manipula con una palanca y con la cual se pueden imitar casi todas las emociones de las vacas, desde el dulce mugir de una romántica novilla al ronco bramido de un toro en el apogeo y la flor de su toreidad. Tenía ese artilugio en Rocinante y era sumamente eficaz. Cuando se acciona, todos los bovinos que estén en el ámbito de difusión del sonido alzan la cabeza del pasto y se encaminan hacia el lugar del que procede.

En el frío plateado de la tarde de Maine, cuando recorría traqueteando a gran velocidad la superficie llena de baches de una pista forestal, vi cuatro hembras de alce que se desplazaban con pesadez majestuosa hacia mi trayectoria. Cuando me aproximé se lanzaron a un trote densamente almohadillado. Obedeciendo a un impulso apreté la palanca del reclamo y brotó un mugido como el de un miura cuando se planta antes de lanzarse al barrido de mariposa de la primera verónica. Las damas, que estaban a punto de desaparecer en el bosque, pararon al oír aquel sonido, se volvieron y luego vinieron hacia mí a una velocidad creciente y con lo que me pareció un brillo romántico en los ojos... ¡pero eran cuatro enamoradas, de bastante más de cuatrocientos kilos de peso cada una! Y aunque soy un decidido partidario del amor en todos los aspectos, apreté el acelerador y salí de allí como alma que lleva el diablo. Y recordé una historia que contaba el gran Fred Allen. Su personaje era un hombre de Maine que estaba hablando de una cacería de alces.

—Me senté en un tronco y toqué mi reclamo de alces y esperé un rato. Entonces sentí de pronto en el cuello y en la cabeza una cosa que era como una alfombrilla de baño caliente. En fin, era una hembra de alce que estaba lamiéndome y había un brillo de pasión en sus ojos.

—¿Le disparó?—le preguntaban.

—No señor, no. Me largué de allí a toda prisa, pero he pensado muchas veces que en alguna parte de Maine hay una hembra de alce con el corazón roto.

Maine es igual de largo bajando que subiendo, tal vez un poco más. Podría y debería haber ido al parque estatal de Baxter, pero no lo hice. Me había entretenido demasiado y estaba empezando a hacer frío y tenía visiones de Napoleón en Moscú y de los alemanes en Stalingrado. Así que retrocedí prudentemente: Brownsville Junction, Milo, Dover-Foxcroft, Guilford, Bingham, Skowhegan, Mexico, Rumford, donde volví a una carretera que había utilizado ya para cruzar las White Mountains. Puede que se tratase de una debilidad por mi parte pero quise satisfacerla. Los ríos estaban llenos de troncos, de orilla a orilla, a lo largo de varios kilómetros, esperando que les tocara el turno en el matadero para entregar sus corazones de madera, con la finalidad de que los baluartes de nuestra civilización como la revista *Time* y el *Daily News* puedan sobrevivir y defendernos de la ignorancia. Las poblaciones madereras son, con todos los respetos, nudos de gusanos. Sales de un campo plácido y sereno y de pronto te ves sacudido y golpeado por un huracán aullante de tráfico. Luchas durante un rato por abrirte paso ciegamente en la aglomeración loca de raudo metal y luego de pronto se apaga todo y estás otra vez en el campo tranquilo y sereno. Y no hay ningún margen ni solapamiento. Es un misterio, pero un misterio feliz.

En el breve tiempo transcurrido desde la otra vez que había pasado, el follaje de las White Mountains había cambiado y estaba hecho jirones. Caían las hojas, rodaban en nubes oscuras y las coníferas de las laderas tenían una costra de nieve. Pasé por allí a toda prisa y sin parar en mucho tiempo, para gran disgusto de Charley. Me dijo muchas veces «Ftt»; no le hice caso y seguí conduciendo a toda velocidad a través del pulgar alzado de New Hampshire. Quería darme un baño y disfrutar de una cama nueva y una copa y un poco de comercio humano, y creía que lo encontraría en el río Connecticut. Es muy extraño, pero cuando te marcas una meta se hace difícil no seguir hasta alcanzarla, aunque se trate de algo impropio y ni siquiera deseable. Había más distancia de la que yo había pensado y estaba muy cansado. Mis muchos años se me hacían presentes con dolores de hombros pero yo me dirigía al río Connecticut y no hacía caso del cansancio, lo que constituía un absoluto disparate. Era casi de noche cuando encontré el lugar que quería, no lejos de Lancaster, New Hampshire. El río era ancho y agradable, bordeado de árboles y con un agradable prado. Y cerca de la orilla se alzaba lo que ansiaba yo: una hilera de limpias casitas blancas en el prado verde junto al río y un pequeño y sólido edificio de oficina y comedor con un cartel en la carretera que proclamaba las palabras de bienvenida «Abierto» y «Habitaciones». Saqué a Rocinante de la carretera, abrí la puerta de la cabina y dejé salir a Charley.

La luz de la tarde convertía en espejos las ventanas del edificio de oficina y comedor. Me dolía todo el cuerpo del viaje cuando abrí la puerta y entré. No había ni un alma dentro. La caja registradora estaba sobre el escritorio, había taburetes en el mostrador, tartas y pasteles bajo tapas de plástico; ronroneaba el refrigerador; se veían unos cuantos platos sucios empapados en agua jabonosa en el fregadero de acero inoxidable, en el que goteaba lentamente un grifo.

Toqué la campanita del escritorio, luego grité: «¿Hay alguien?». Ninguna respuesta, nada. Me senté en un taburete a esperar a que regresara el personal. Las llaves numeradas de las casitas blancas colgaban de un tablero. Se disipó la luz del día, se quedó a oscuras el local. Salí a recoger a Charley y a verificar mi impresión de que el cartel decía «Abierto» y «Habitaciones». Por entonces estaba haciéndose de noche ya. Saqué una linterna y escudriñé por la oficina buscando una nota que dijese «Vuelvo en diez minutos», pero no había nada. Tuve la sensación extraña de ser una especie de mirón entrometido; yo no pertenecía a aquel lugar. Así que salí y aparté a Rocinante del camino de coches, di de comer a Charley, preparé un poco de café y esperé.

Habría sido más fácil coger una llave, dejar una nota en el escritorio de recepción que dijese que lo había hecho y abrir una de las casitas. No era correcto. No podía hacerlo. Pasaron algunos coches por la carretera y cruzaron el puente sobre el río, pero no giró ninguno hacia allí. Las ventanas del edificio de oficina y comedor relumbraban con las luces de los faros y se apagaban luego. Yo había pensado tomar una cena ligera y dejarme caer luego en la cama rendido. Me hice la cama, descubrí que en realidad no tenía hambre y me acosté. Pero el sueño no acudía a mí.

Estaba escuchando, a la espera de que regresara el personal. Por último encendí la lámpara de gas e intenté leer, pero seguía escuchando sin atender a las palabras. Al final me adormilé, desperté en la oscuridad, miré fuera... nada, nadie. Mi breve sueño fue inquieto y atribulado.

Al amanecer me levanté y preparé un desayuno largo y lento en el que perdí mucho tiempo. Salió el sol, que penetró por las ventanas. Bajé hasta el río para hacer compañía a Charley, volví, hasta me afeité y tomé un baño de esponja en un cubo. Por entonces el sol estaba ya bastante alto. Fui hasta la oficina y entré. Ronroneaba el refrigerador, goteaba el grifo en el agua fría y jabonosa del fregadero. Una mosca recién nacida, gorda y de gruesas alas se arrastraba fastidiosamente sobre la tapa de plástico de una tarta. A las nueve y media me fui de allí y no había llegado nadie, no se había movido nada. El letrero aún decía «Abierto» y «Habitaciones». Crucé el puente de hierro, traqueteando en las placas metálicas. Aquel lugar vacío me perturbó profundamente y, ahora que pienso en ello, aún sigue haciéndolo.

Durante mi largo viaje tuve a las dudas por compañeras muchas veces. Siempre me han causado admiración esos informadores que pueden llegar a un sitio, hablar con la gente clave, hacer las preguntas claves, recoger muestras de opiniones y luego sentarse e informar debidamente de un modo muy parecido a como lo hace un mapa de carreteras. Envidio esta técnica y al mismo tiempo no confío en ella como espejo de la realidad. Creo que hay demasiadas realidades. Lo que yo escribo aquí es verdad hasta que pase por esa ruta otro y reordene el mundo a su manera. En la crítica literaria el crítico no tiene más elección que transformar a la víctima de su atención en algo de la talla y la forma de él mismo.

Y en este reportaje no me engaño a mí mismo pensando que estoy tratando con constantes. Hace años estuve en la vieja ciudad de Praga y estuvo allí también al mismo tiempo Joseph Alsop, el justamente célebre cronista de lugares y acontecimientos. Él habló con gente informada, funcionarios, embajadores; leyó informes, incluso la letra pequeña y los números, mientras que yo vagabundeé por allí a mi manera despreocupada con actores, gitanos, vagabundos. Joe y yo volvimos a los Estados Unidos en el mismo avión y en el viaje él me habló de Praga, y su Praga no tenía ninguna relación con la ciudad que había visto y oído yo. Y es que no era sencillamente el mismo lugar y sin embargo los dos éramos sinceros, ninguno de los dos mentía, éramos los dos buenos observadores cualquiera que fuese el criterio que se utilizase y trajimos a casa dos ciudades, dos verdades. Por esta razón no puedo recomendar esta crónica como la de unos Estados Unidos que encontraréis. Todo eso está ahí, pero nuestros ojos matutinos describen un mundo diferente del que describen nuestros ojos vespertinos y seguramente nuestros cansados ojos crepusculares sólo puedan dar cuenta de un cansado mundo crepuscular.

Mañana de domingo, en una ciudad de Vermont, mi último día en Nueva Inglaterra. Me afeité, me puse un traje, me limpié los zapatos, blanqueé mi sepulcro y busqué una iglesia para asistir al servicio religioso. Deseché varias por razones que ahora no recuerdo, pero cuando vi una iglesia de John Knox enfilé por una calle lateral y aparqué a Rocinante donde no se le viera, di instrucciones a Charley sobre la vigilancia de la camioneta y me encaminé con dignidad hacia una iglesia de entalladura a media madera cegadoramente blanca. Elegí asiento al fondo de aquel lugar de culto inmaculado y relumbrante. Las oraciones fueron muy adecuadas, dirigiendo la atención del Todopoderoso hacia ciertas debilidades y tendencias impías que sé que yo tengo y que sólo podía suponer que eran compartidas por otros de los allí reunidos.

El servicio le hizo cierto bien a mi corazón y tengo la esperanza de que también se lo hiciese a mi alma. Hacía mucho tiempo que no escuchaba un planteamiento como aquél. Tenemos ya por costumbre, al menos en las grandes ciudades, descubrir a través de nuestro sacerdocio psiquiátrico que nuestros pecados no son en realidad pecados ni nada que se le parezca sino accidentes desencadenados por fuerzas que escapan a nuestro control. En aquella iglesia no se decía ningún disparate de ese género. El pastor, un hombre de hierro con ojos de acero y una expresión oral que era como un taladro neumático, empezó con la oración y nos aseguró que éramos un grupo bastante lamentable. Y tenía razón. No valíamos gran cosa ya en principio y, debido a nuestros pomposos esfuerzos, no habíamos hecho más que ir resbalando desde entonces. Luego, después de darnos una buena soba, pasó a desgranar un sermón glorioso, un sermón apocalíptico. Tras haber demostrado que nosotros no valíamos nada, o tal vez sólo yo, pintó con una fría seguridad lo que era probable que nos sucediese si no introducíamos unas cuantas modificaciones básicas en nuestra conducta, sobre lo que él no albergaba grandes esperanzas. Habló del infierno como un verdadero especialista, no de la pamplina de infierno de estos tiempos blandengues, sino de un infierno bien provisto, al rojo, atendido por técnicos de primera calidad. Aquel reverendo llevó el infierno hasta un nivel en el que pudiéramos entenderlo, lo convirtió en un buen fuego de carbón, con tiro suficiente y una brigada de demonios de horno de solera que ponían el corazón en su trabajo, y su trabajo era yo. Empecé a sentirme bien de verdad. Dios había sido para nosotros durante muchos años un colega, que practicaba la camaradería, y eso provoca el mismo vacío que provoca el padre que juega al fútbol con su hijo. Pero aquel Dios de Vermont se preocupaba por mí lo suficiente como para asumir la tediosa tarea de sacudirme fuerte. Situaba mis pecados en perspectiva. Mientras que hasta entonces habían sido pequeños y mezquinos y desagradables y mejor olvidarlos, aquel pastor les asignaba cierta talla y un cierto vigor y dignidad. Yo llevaba unos años que no tenía muy buen concepto de mí, pero si mis pecados poseían aquella dimensión aún había razón para sentir un cierto orgullo. No era un niño travieso sino un pecador de primera categoría e iba a saber lo que era bueno.

Me sentí tan revivido espiritualmente que eché cinco dólares en la bandeja de la colecta, y después, a la salida de la iglesia, le estreché la mano cordialmente al pastor y a todos los de la congregación que pude. Esta experiencia me proporcionó una sensación encantadora de maldad que me duró hasta el martes. Llegué incluso a considerar la posibilidad de pegarle a Charley para proporcionarle también a él una cierta satisfacción, porque Charley es sólo un poco menos pecador que yo. En mi viaje por el país fui a la iglesia los domingos, un credo cada semana, pero en ningún sitio encontré calidad comparable a la de aquel predicador de Vermont. Él forjaba una religión diseñada para durar, no obsolescencia predigerida.

Entré en el estado de Nueva York por Rouses Point y me instalé todo lo cerca que pude del lago Ontario porque tenía la intención de ver las cataratas del Niágara, que no había visto nunca, y luego entrar en Canadá, ir de Hamilton a Windsor, con el lago Erie al sur, y salir a Detroit... una especie de regate habilidoso, un pequeño triunfo sobre la geografía. Sabemos, por supuesto, que cada uno de nuestros estados es un individuo y está orgulloso de ello. No contentos con sus nombres, adoptan también títulos descriptivos (el Estado Imperial, el Estado Jardín, el Estado de Granito), títulos que llevan con orgullo y que no suelen tender al eufemismo. Pero entonces me di cuenta por primera vez de que cada estado tenía también su estilo de prosa individual, cosa que sus letreros indicadores de las carreteras dejaban muy patente. Al cruzar las fronteras de los estados se da uno cuenta de este cambio de lenguaje. Los estados de Nueva Inglaterra utilizan una forma tersa de instrucción, un manual de estilo parco y lacónico, con el que no desperdician ni una palabra y pocas letras. El estado de Nueva York no para de gritarte. Haz esto. Haz aquello. Gira a la izquierda. Gira a la derecha. Una orden imperiosa cada pocos metros. En Ohio los letreros son más benignos. Brindan consejo amigablemente y parecen más sugerencias. Algunos estados utilizan un estilo túrgido que puede hacer que te pierdas con la mayor facilidad. Hay estados que te dicen lo que puedes esperar encontrar en cuanto a las condiciones viarias, mientras que otros dejan que lo descubras por tu cuenta. Casi todos han abandonado el adverbio por el adjetivo. Conduce tranquilo. Conduce seguro.

Soy un lector ávido de todo tipo de letreros y creo que donde la prosa de la estatalidad alcanza su mayor gloria y su lirismo máximo es en los indicadores históricos. He comprobado también, a mi satisfacción al menos, que los estados que tienen las historias más cortas y los acontecimientos de menor envergadura son los que tienen más indicadores históricos. A algunos estados del Oeste les parecen gloriosos hasta asesinatos y asaltos a bancos semiolvidados. Las ciudades, para no quedarse atrás, ensalzan orgullosas a sus hijos famosos, de manera que carteles y estandartes informan al viajero de que: Aquí nació Elvis Presley, o Cole Porter, o Alan P. Huggins. Esto no es una cosa nueva, por supuesto, creo recordar que pequeñas ciudades de la antigua Grecia disputaban agriamente sobre cuál de ellas era el lugar donde había nacido Homero. En el ámbito de mi recuerdo una ofendida ciudadanía de su pueblo natal quería que regresase Red Lewis para embrearle y emplumarle después de que escribió *Calle Mayor.* Y hoy Sauk Centre se gloria de haberle producido. Los estadounidenses estamos tan hambrientos de historia como nación como lo estaba Inglaterra cuando Geoffrey de Monmouth fabricó su Historia de los Reyes Británicos, muchos de los cuales manufacturó para satisfacer una demanda creciente. E igual que se da esa ansia de una asociación decente con el pasado en el caso de los estados y las comunidades, se da también en el de los estadounidenses individuales. Los genealogistas se matan a trabajar aventando la paja de la genealogía en busca de granos de grandeza. No hace mucho se demostró que Dwight D. Eisenhower descendía de la estirpe real de Inglaterra, una prueba si fuese necesaria de que todo el mundo desciende de todo el mundo. El entonces pueblecito en que yo nací, que en el recuerdo de mi abuelo era una fragua en un pantano, recuerda con pompa anual un relumbrante pasado de hidalgos españoles y señoritas que comían pétalos de rosa que han barrido de la memoria pública a la pequeña y desolada tribu de indios comedores de gusanos y saltamontes que fueron nuestros auténticos primeros pobladores.

A mí esto me parece interesante, pero me hace desconfiar de la historia como registro de la realidad. Pensaba en estas cosas cuando leía los indicadores históricos a lo largo del país, pensaba en cómo el mito barre al hecho. Planteado a un nivel muy bajo, el proceso de un mito es el siguiente. Visitando la ciudad en la que nací, hablé con un hombre muy viejo que me había conocido de niño. Recordaba claramente haberme visto, un niño paliducho y tembloroso, pasando por delante de su casa una mañana gélida, con un abrigo impropio cerrado sobre mi débil pecho con alfileres de manta de caballo. Esto es a su manera pequeña el verdadero material de los mitos: el niño pobre y doliente que se eleva a la gloria, a una escala limitada por supuesto. Aunque yo no recordaba el episodio, sabía que no podía ser verdad. Mi madre era una cosedora apasionada de botones. Que faltase un botón era más que descuido; era un pecado. Si yo hubiese sustituido por alfileres los botones que me faltaran mi madre me habría dado una zurra. La historia no podía ser cierta, pero a aquel anciano caballero le gustaba tanto que no habría podido convencerle de su falsedad, así que no lo intenté. Si mi pueblo natal me quiere con alfileres de manta de caballo, nada que yo pueda decir lo cambiará, y menos aún la verdad.

Llovía en el estado de Nueva York, el Estado Imperial, llovía fría e implacablemente, como dirían los autores de los letreros indicadores. De hecho el lúgubre chaparrón hacía que pareciese redundante la visita que tenía proyectada a las cataratas del Niágara. Estaba por entonces perdido sin esperanza en las calles de una ciudad pequeña pero interminable, en el barrio de Medina, creo. Paré a un lado de la calle y saqué mi libro de mapas de carretera. Pero para encontrar el sitio a donde vas tienes que saber en dónde estás y yo no lo sabía. Las ventanas de la cabina estaban cerradas del todo y la lluvia que caía a torrentes no me dejaba ver nada. La radio emitía una música suave. De pronto alguien llamó a la ventanilla, se abrió la puerta y se metió en el asiento contiguo a mi lado un hombre. Era un hombre de cara muy enrojecida y con mucho olor a whisky en el aliento. Tenía los pantalones sujetos con unos tirantes rojos puestos por encima de la larga prenda interior gris que le cubría el pecho.

—Apague ese maldito chisme—dijo, y acto seguido apagó la radio él mismo; después continuó—: Mi hija le vio por la ventana. Le pareció que tenía usted problemas.

Miró mis mapas.

—Tire usted eso. Dígame, ¿adónde quiere ir?

No sé por qué razón no puede uno contestar a esa pregunta con la verdad. La verdad era que yo había salido de la gran carretera 104 y me había metido por carreteras más pequeñas porque el tráfico era muy denso y los vehículos que pasaban me lanzaban sábanas de agua sobre el parabrisas. Quería ir a las cataratas del Niágara. ¿Por qué no podía confesarlo? Bajé la vista hacia mi mapa y dije:

—Estoy intentando llegar a Erie, Pensilvania.

—Bueno—dijo él—. Ahora, tire esos mapas. Tiene usted que dar la vuelta y pasar dos semáforos, llegará entonces a Egg Street. Gira a la izquierda allí y a unos doscientos metros por Egg gire a la izquierda en ángulo. Es una calle muy tortuosa y llegará usted a un paso elevado, pero no lo coja, eh. Giré allí a la izquierda y hará una curva así... ¿ve? Así.

Hizo con la mano un movimiento en curva.

—Bueno, luego, cuando se acaba la curva verá que hay tres carreteras. Hay una casa grande roja en la carretera de la izquierda pero no debe coger ésa, debe coger la de la derecha. A ver, ¿lo ha entendido hasta aquí?

—Claro—dije—. Eso es fácil.

—Pues repítalo para que sepa yo si lo ha entendido bien.

Yo había dejado de escuchar en lo de aquella carretera que hacía curva.

—Tal vez sea mejor que me lo repita—dije.

—Ya me parecía. Dé la vuelta y pase dos semáforos hasta llegar a Egg Street, gire a la izquierda, siga doscientos metros y gire a la derecha en ángulo por una calle tortuosa hasta que llegue a un paso elevado, pero no lo coja.

—Eso me lo aclara—dije rápidamente—. Muchísimas gracias por ayudarme.

—Demonios—dijo—, si aún no lo he sacado siquiera de la ciudad.

En fin, me sacó de la ciudad por una ruta que, si pudiese haberla recordado, no digamos ya seguido, habría hecho parecer el itinerario de salida del Laberinto de Cnossos una gran autopista. Cuando se dio al fin por satisfecho y yo le di las gracias, salió y cerró dando un portazo, pero mi cobardía social es de tal magnitud que en realidad di la vuelta, sabiendo que estaría vigilándome desde la ventana. Giré y di vuelta dos manzanas más allá y volví a meterme por la 104, sin importarme si había tráfico o no.

Las cataratas del Niágara son muy bonitas. Es una versión en grande del viejo cartel de Bond de Times Square. Estoy muy contento de haberlas visto, porque a partir de ahora si me preguntan si he visto alguna vez las cataratas del Niágara puedo decir sí, y estar diciendo la verdad además.

Cuando le dije a mi asesor que iba a Erie, Pensilvania, no tenía el menor propósito de ir allí, pero el caso es que al final fui. Mi intención era cruzar por el cuello de Ontario, evitando no sólo Erie sino Cleveland y Toledo.

He llegado a saber por larga experiencia que amo a todas las naciones y odio a todos los gobiernos, y en ningún lugar se despierta más mi anarquismo innato que en las fronteras nacionales en las que funcionarios públicos pacientes y eficaces cumplen sus deberes en cuestiones como inmigración y aduanas. Nunca en mi vida he pasado nada de contrabando. ¿Por qué tengo entonces un incómodo sentimiento de culpa al acercarme a un puesto aduanero? Crucé un alto puente de peaje y pasé una tierra de nadie y llegué al lugar en que la bandera de las estrellas y las barras se alzaba hombro con hombro con la Union Jack. Los canadienses fueron muy amables. Preguntaron adónde iba y por cuanto tiempo, hicieron una inspección protocolaria a Rocinante y pasaron por último a Charley.

—¿Tiene el certificado de la vacuna de la rabia del perro?

—No, no lo tengo. Ya ven que es un perro viejo. Fue vacunado hace mucho.

Salió otro funcionario.

—Le aconsejamos que no cruce la frontera con él, entonces.

—Pero si sólo voy a cruzar una pequeña parte del Canadá y a volver a entrar en los Estados Unidos.

—Lo comprendemos—dijeron amablemente—. Puede entrar con él en Canadá pero no le volverán a dejar entrar con él en Estados Unidos.

—Pero teóricamente estoy aún en Estados Unidos y no hay ninguna queja.

—La habrá si el animal cruza la frontera e intenta volver a entrar.

—Está bien, ¿dónde puedo conseguir que lo vacunen?

No sabían. Tendría que volver atrás más de treinta kilómetros, encontrar un veterinario que vacunara a Charley y luego regresar. Si cruzaba la frontera era sólo por ganar un poco de tiempo, y eso daría cuenta del tiempo que podía ganar y de mucho más.

—Compréndalo, por favor, es su propio gobierno, no el nuestro. Nosotros no hacemos más que aconsejarle. Es la norma.

Supongo que es por esto por lo que odio a los gobiernos, a todos los gobiernos. Es siempre la norma, la letra pequeña, que hacen cumplir hombres de letra pequeña. No hay nada contra lo que luchar, ningún muro que aporrear con puños furiosos. Apruebo rotundamente la vacunación, considero que debería ser obligatoria; la rabia es una cosa horrible. Y sin embargo me di cuenta de que sentía odio hacia la norma y hacia todos los gobiernos que establecen normas. Lo importante no eran las inyecciones sino el certificado. Y es lo que suele pasar con los gobiernos: no un hecho sino un pedacito de papel. Los aduaneros canadienses eran muy buena gente, amables y serviciales. No había mucho ajetreo en la frontera. Me dieron una taza de té y a Charley media docena de galletas. Y parecían sentir de verdad que yo tuviese que ir hasta Erie, Pensilvania, porque me faltase un papel. En fin, di la vuelta y me dirigí hacia las estrellas y las barras y otro gobierno. Al salir no me habían obligado a parar, pero ahora estaba bajada la barrera.

—¿Es usted ciudadano de los Estados Unidos?

—Sí señor, aquí está mi pasaporte.

—¿Tiene alguna cosa que declarar?

—No he salido.

—¿Tiene usted el certificado de la vacuna de la rabia de su perro?

—Tampoco él ha salido del país.

—Pero viene usted del Canadá.

—No he entrado en Canadá.

Vi que asomaba el acero a sus ojos, que bajaba las cejas a nivel de sospecha. Lejos de ahorrar tiempo, daba la impresión de que podría perder mucho más que si fuese a Erie, Pensilvania.

—¿Quiere usted pasar al despacho?

Esta petición me produjo el mismo efecto que podría haberme producido una llamada a la puerta de la Gestapo. Es algo que despierta en mí pánico, cólera y sentimientos de culpa haya hecho algo malo o no. Mi voz adquirió ese tono estridente de inocencia ultrajada que despierta automáticamente la sospecha.

—Venga a la oficina, por favor.

—Le digo a usted que no he entrado en Canadá. Si hubiese estado usted mirando, habría visto que di la vuelta.

—Venga usted por aquí, señor, haga el favor.

Luego, por teléfono:

—Matrícula de Nueva York tal y tal. Sí. Una furgoneta con techo de caravana. Sí... un perro.

Y a mí:

—¿De que raza es el perro?

—Caniche.

—Caniche... caniche he dicho. Castaño claro.

—Azul—dije yo.

—Castaño claro. Bien. Gracias.

Tengo la esperanza de no haber sentido una cierta tristeza por mi inocencia.

—Dicen que no cruzó usted la frontera.

—Eso fue lo que yo le dije.

—¿Puedo ver su pasaporte?

—¿Por qué? No he salido del país. No voy a salir del país.

Pero le entregué el pasaporte de todos modos. Lo hojeó, deteniéndose en los sellos de entrada y salida de otros viajes. Inspeccionó mi fotografía, abrió el certificado amarillo de la vacuna de la viruela que estaba grapado a la tapa de atrás. Al pie de la última página vio una serie desvaída de letras y cifras escritas a lápiz.

—¿Qué es esto?

—No sé. Déjeme ver. ¡Ah, eso! Es un número de teléfono.

—¿Y qué hace en su pasaporte?

—Supongo que no tenía un trozo de papel para apuntarlo. Ni siquiera me acuerdo de quién es ese número además.

Me tenía ya cogido y lo sabía.

—¿No sabe usted que está prohibido por la ley escribir en un pasaporte?

—Lo borraré.

—No debería escribir usted nada en el pasaporte. Ésa es la norma.

—No volveré a hacerlo nunca. Lo prometo.

Y deseé prometerle que no mentiría ni robaría ni frecuentaría a personas de moral dudosa, ni desearía a la mujer de mi prójimo ni nada parecido. Cerró mi pasaporte con firmeza y me lo devolvió. Estoy seguro de que se sentía mejor por haber encontrado aquel número de teléfono. Imaginaos si después de todas las molestias que se había tomado no me hubiese encontrado culpable de nada, y en un día de poco trabajo.

—Gracias, señor—dije—. ¿Puedo irme ya?

Indicó que sí con la mano amablemente.

—Adelante—dijo.

Y ésa fue la razón de que fuese a Erie, Pensilvania, y fue culpa de Charley. Crucé el alto puente de hierro y paré en el peaje. El hombre se asomó a la ventanilla.

—Siga—dijo—, paga la casa.

—¿Qué quiere decir?

—Le he visto pasar en la otra dirección hace un ratito. Y vi el perro. Sabía que volvería usted.

—¿Por qué no me lo dijo?

—Nadie lo cree. Ya puede pasar. No le cobro por el viaje de vuelta.

No era el gobierno, comprendes. Pero el gobierno te puede hacer sentirte tan pequeño y miserable que cuesta luego recuperar la sensación de la propia importancia. Charley y yo nos instalamos en el motel más grande que pudimos encontrar aquella noche, un lugar que sólo podían permitirse los ricos, una cúpula de placer de marfil con monos y pavos reales y además restaurante y servicio de habitaciones. Pedí hielo y soda y me preparé un whisky con soda y luego otro. Después llamé a un camarero y pedí sopa y un filete y una libra de hamburguesa cruda para Charley y me pasé implacablemente con la propina. Antes de echarme a dormir repasé todas las cosas que habría querido decirle a aquel individuo de inmigración y algunas de ellas eran increíblemente inteligentes e ingeniosas.

Yo había evitado desde el principio de mi viaje los grandes tajos de alta velocidad de hormigón y alquitrán llamados «autopistas». Me había entretenido en Nueva Inglaterra, el invierno avanzaba a paso acelerado y tuve visiones de quedar bloqueado por la nieve en Dakota del Norte. Tomé pues la carretera nacional 90, esa autopista que es un ancho corte de varios carriles por donde circulan las mercancías del país. Rocinante corría a toda marcha. Hasta entonces no había llegado siquiera a la velocidad mínima de aquella carretera en ningún momento. Avanzaba envuelto en un viento que se formaba en su canto de estribor y acusaba los golpes potentes, asombrosos a veces, del vendaval que yo ayudaba a crear. Podía oír su ronroneo sobre las superficies cuadradas de la cubierta de la caravana. Desde la carretera me gritaron instrucciones en una ocasión: «¡No pare! No hay que parar. Mantenga la velocidad». Pasaban atronando camiones tan largos como buques de carga, que dejaban tras ellos un ventarrón que era igual que un puñetazo. Esas grandes carreteras son maravillosas para transportar mercancías pero no para examinar un territorio. Estás atado al volante y tienes los ojos clavados en el coche de delante y en el espejo retrovisor por el coche que va detrás y en el espejo lateral por el coche o camión que está a punto de pasar, y tienes que estar pendiente al mismo tiempo de leer los carteles indicadores porque si no corres el riesgo de pasar por alto alguna instrucción o alguna orden. No hay puestos al borde de la carretera que vendan zumo de calabaza, ni tiendas de antigüedades, ni productos agrícolas ni puestos de venta a la puerta de las fábricas. Cuando tengamos este tipo de carreteras por todo el país, como tendremos y debemos tener, se podrá ir desde Nueva York a California sin ver ni una sola cosa.

Hay a intervalos lugares de descanso y diversión, comida, combustible y aceite, postales, mesas de vapor que mantienen la comida caliente, mesas de merendero, latas de basura, todo nuevo y recién pintado, servicios y lavabos tan inmaculados, tan incensados con desodorantes y detergentes, que tardas un rato en recuperar el sentido del olfato. Pues los desodorantes no tienen el nombre adecuado; sustituyen un olor por otro, y el sustituto debe de ser mucho más fuerte y más penetrante que el aroma al que vence. Yo había desdeñado mi propio país durante demasiado tiempo. La civilización había dado grandes pasos adelante en mi ausencia. Me acuerdo de cuando una moneda introducida en una ranura te proporcionaba una barrita de chicle o un caramelo, pero en estos palacios de la alimentación había máquinas automáticas en que diversas monedas podían proporcionarte pañuelos, juegos de peine y lima de uñas, acondicionadores del cabello y cosméticos, botiquines de primeros auxilios, medicamentos menores como aspirinas, remedios suaves, pastillas para mantenerse despierto. La contemplación de todos estos objetos me puso en trance. Digamos que quieres un refresco; eliges el que quieres (Sungrape o Cooly Cola), aprietas un botón, insertas la moneda y esperas. Cae en el lugar correspondiente un vaso de papel, luego se va llenando de bebida y se para justo a unos centímetros del borde... una bebida fría, refrescante, sintética, garantizada. Lo del café resulta más intrigante aún, pues cuando el líquido negro y caliente ha cesado de manar, lo hace un chorro de leche y luego cae al lado del vaso un sobrecito de azúcar. Pero el triunfo máximo es la máquina de sopa caliente. Eliges entre diez (de guisantes, de pollo con fideos, de carne y vrd.). E insertas la moneda. Surge del gigante un ronroneo estruendoso y se ilumina un letrero que dice «Calentando». Al cabo de un minuto parpadea una luz roja hasta que abres una puertecilla y sacas el vaso de papel con sopa hirviendo.

Es la vida en la cúspide de una especie determinada de civilización. El montaje del restaurante, grandes mostradores en forma de conchas con taburetes de cuero de imitación, son tan inmaculados como los lavabos y no muy diferentes de ellos. Todo lo que se puede capturar e inmovilizar está sellado con plástico transparente. La comida está recién salida del horno y es impecable e insípida; no la han tocado manos humanas. Recuerdo con nostalgia ciertos platos de Francia e Italia tocados por innumerables manos humanas.

Estos centros para descansar, comer y repostar se cuidan para que estén bonitos y tienen césped y flores. Delante, en la parte más próxima a la carretera, están las zonas de aparcamiento de los turismos junto a regimientos de bombas de gasolina. Al fondo se alinean y tienen sus servicios los camiones, las inmensas caravanas terrestres. Rocinante, al ser técnicamente un camión, ocupó su lugar en la parte de atrás, y pronto hizo amistad con los camioneros. Son una especie aparte de la vida que les rodea, estos camioneros de largo recorrido. En alguna ciudad o pueblo de la ruta viven sus mujeres e hijos mientras ellos atraviesan la nación transportando todo tipo de alimentos y productos y máquinas. Forman un clan y se mantienen unidos y hablan un lenguaje especializado. Y aunque yo era una máquina pequeña entre monstruos del transporte, fueron amables conmigo y me ayudaron.

Me enteré de que en los aparcamientos de camiones había duchas y jabón y toallas, que podía aparcar y dormir de noche si quería. Ellos tenían poca relación con la gente local, pero como eran ávidos oyentes de la radio podían informar de las noticias y la política de todas las partes del país. Los centros de alimentación y combustible de las carreteras o autopistas están alquilados por los diversos estados, pero en otras carreteras la industria privada tiene estaciones para camioneros que ofrecen descuentos en combustible, camas, baños y sitios para sentarse y charlar un rato. Pero siendo como son un grupo especializado, que lleva un tipo de vida especial y que sólo se relacionan entre ellos, me habrían permitido cruzar el país sin hablar con un solo individuo local anclado en una población. Pues los camioneros recorren la superficie de la nación sin formar parte de ella. Por supuesto, en las poblaciones donde viven sus familias tienen todas las raíces posibles: clubs, bailes, relaciones amorosas y asesinatos.

Me gustaron mucho los camioneros, porque a mí siempre me gustan los especialistas. Oyéndoles hablar acumulé un vocabulario de la carretera, de neumáticos y ballestas, de exceso de carga. Los camioneros de largo recorrido tienen estaciones a lo largo de su ruta donde conocen al personal del servicio de mantenimiento y a las camareras de detrás de los mostradores, y donde de cuando en cuando se encuentran a sus colegas de otros camiones. El gran símbolo de reunión es la taza de café. Caí en la cuenta de que paraba a menudo a tomar un café no porque lo necesitase sino para descansar un poco y distraerme de la monotonía de la carretera. Hace falta fuerza y concentración y control para conducir un camión largas distancias, por mucho que alivien el esfuerzo los frenos de aire y la dirección asistida. Sería interesante saber, y fácil de establecer con métodos de comprobación modernos, cuánta energía en kilos por centímetro se consume conduciendo un camión durante seis horas. Una vez que Ed Ricketts y yo andábamos recogiendo animales marinos, dando vuelta a las piedras en una zona, nos pusimos a calcular cuánto peso levantábamos en un día normal de recolección. Las piedras a las que dábamos la vuelta no eran grandes, pesaban entre uno y veinte kilos. Calculamos que en un día bueno, en que teníamos poca conciencia de la energía consumida, habíamos alzado de cuatro a diez toneladas de piedras cada uno. Pensad pues en ese pequeño giro del volante que pasa desapercibido, que tal vez signifique sólo medio kilo por cada movimiento, la presión variable del pie en el acelerador, tal vez un cuarto de kilo sólo pero un total enorme a lo largo de un periodo de seis horas. Luego están los músculos de los hombros y del cuello, que se flexionan constante aunque inconscientemente en prevención de emergencias, los ojos que saltan de la carretera al espejo retrovisor, las mil decisiones tan profundas que la mente consciente no se da cuenta de ellas. El consumo de energía, nerviosa y muscular, es enorme. Así que lo de parar a tomar un café es un descanso en muchos sentidos.

Me senté bastante a menudo con aquellos hombres y escuché sus charlas, haciendo preguntas de vez en cuando. Pronto aprendí a no esperar conocimiento del país por el que pasaban. El único contacto que tenían con él eran los lugares de parada de los camiones. Comprendí lo mucho que se parecían a los marineros. Recuerdo que la primera vez que me embarqué me asombró que hombres que navegaban por los océanos y paraban en puertos del mundo de lo exótico y lo desconocido tuviesen tan poco contacto con ese mundo. Algunos de los camioneros de largo recorrido viajaban en parejas y se turnaban. El que descansaba dormía y leía novelas. Pero en las carreteras lo que les interesaba eran los motores y el tiempo y mantener la velocidad que hace posible el plan previsto. Algunos de ellos iban y venían siempre por la misma ruta, mientras que otros se desplazaban en operaciones individuales. Es todo un modelo de vida, poco conocido por la gente asentada a lo largo de las rutas de los grandes camiones. Aprendí sobre esos hombres sólo lo suficiente para estar seguro de que me gustaría saber mucho más.

Si se ha conducido un coche muchos años, como lo he hecho yo, casi todas las reacciones han pasado a ser automáticas. No piensa uno en lo que ha de hacer. Casi toda la técnica de la conducción está profundamente enterrada en un inconsciente tipo máquina. Debido a ello, queda libre para pensar un gran sector de la mente consciente. ¿Y qué piensa la gente cuando conduce? En viajes cortos quizás en la llegada a un destino o en el recuerdo de hechos que han sucedido en el punto de partida. Pero queda un gran espacio para el ensueño, sobre todo en los viajes muy largos, e incluso, Dios nos valga, para el pensamiento. Nadie puede saber qué hace el otro en ese sector. Yo, por mi parte, he proyectado casas que no construiré jamás, he cavado huertos que nunca plantaré, he ideado un método para bombear el cieno y los caparazones y conchas podridos del fondo de mi bahía hasta mi punta de tierra de Sag Harbor, para desalinizar, consiguiendo con ello un suelo rico y productivo. No sé si haré eso o no lo haré, pero lo he planeado detalladamente mientras conducía, he pensado incluso en el tipo de bomba, en los cubos, en las pruebas para determinar la desaparición de la salinidad. He ideado trampas para tortugas conduciendo, he escrito cartas largas y detalladas que nunca he trasladado al papel y aún menos enviado. Cuando estaba puesta la radio, la música estimulaba el recuerdo de épocas y lugares, con todos los personajes y puestas en escena, recuerdos tan precisos que se recrean todas las palabras del diálogo. Y he proyectado escenas futuras, igual de completas y convincentes... escenas que nunca se producirán. He escrito relatos mentalmente, riéndome de mi propio sentido del humor, entristecido o estimulado por la estructura o por el contenido.

Sólo puedo sospechar que el hombre solitario puebla sus sueños de conductor con amigos, que el hombre sin amor se rodea de mujeres encantadoras y amorosas y que en el soñar del conductor sin hijos penetran los niños. ¿Y qué decir del sector de las lamentaciones? Ay, si hubiese hecho esto y aquello o no hubiese dicho esto o aquello... Dios mío, quizá no hubiese sucedido ese maldito asunto. Al descubrir este potencial en mi mente, puedo sospecharlo en otros, pero nunca lo sabré seguro porque nadie lo cuenta. Y es por eso por lo que, en este viaje mío destinado a la observación, procuré utilizar todo lo posible carreteras secundarias donde había mucho que ver y oír y oler, y evité los grandes y anchos tajos de tráfico, que estimulan el yo fomentando ensueños. Recorrí esa ancha y monótona vía llamada carretera 90 de los Estados Unidos que bordea Buffalo y Erie hasta Madison, Ohio, y luego busqué la 20, igual de ancha y rápida, y pasé Cleveland y Toledo, entrando en Michigan.

En esas carreteras vi pasar muchas casas móviles procedentes de los centros de fabricación, transportadas por camiones especialmente diseñados para ello, y como estas casas móviles constituyen uno de mis temas de carácter general, puedo muy bien hablar ya de ellas. Al principio de mis viajes me había fijado en estas cosas, que eran algo nuevo bajo el sol, en su gran número y, puesto que aparecen en cantidad creciente por toda la nación, resulta adecuado un comentario sobre ellas y tal vez alguna especulación. No son remolques que pueda uno arrastrar con su propio coche sino vehículos resplandecientes, largos como autobuses. Me he fijado desde el principio de mis viajes en los lugares en que se venden y se cambian, pero luego empecé a fijarme en los lugares en que se asientan en una inquieta permanencia. En Maine di en parar de noche en esos puntos de estacionamiento, hablando con los encargados y con los habitantes de ese nuevo tipo de viviendas, pues se reúnen en grupos de iguales.

Se trata de casas maravillosamente hechas, con exteriores de aluminio, paredes dobles, con aislamiento y a menudo con paneles de contrachapado de maderas nobles. A veces miden hasta doce metros de longitud, tienen de dos a cinco habitaciones y cuentan con aire acondicionado, lavabos, baños e indefectiblemente un televisor. Los lugares de estacionamiento donde se instalan están a veces ajardinados y equipados con todos los servicios. Hablé con los encargados de estos lugares, que se mostraban entusiastas. Una casa móvil se transporta hasta el lugar de estacionamiento y se instala sobre una rampa, se le enchufa y atornilla por debajo una sólida tubería de desagüe de goma, se conectan el agua y la energía eléctrica, se alza la antena de la televisión y la familia está instalada. Varios encargados coincidían en asegurar que el año pasado una de cada cuatro nuevas unidades habitacionales de todo el país era una casa móvil. El lugar de estacionamiento cobra una pequeña renta por el terreno más los recibos del agua y la electricidad. En casi todas ellas se instala el teléfono simplemente conectando un enchufe. A veces el lugar de estacionamiento dispone de un almacén de suministros, y si no están siempre a mano los supermercados esparcidos por el campo. Los problemas de aparcamiento de las ciudades han hecho trasladarse a estos establecimientos a campo abierto donde son inmunes a los impuestos municipales. Esto es aplicable también a los lugares de estacionamiento de remolques y casas móviles. El hecho de que estas viviendas se puedan desplazar no significa que lo hagan. A veces sus propietarios permanecen años en un sitio, plantan huertos, alzan muretes de bloques de hormigón, instalan toldos y mobiliario de jardín. Es toda una forma de vida que resultaba nueva para mí. Estas casas nunca son una cosa barata y son con frecuencia muy caras y lujosas. He visto algunas que cuestan 20.000 dólares y que contenían todos esos mil artefactos que nos facilitan la vida: lavaplatos, lavadoras y secadoras automáticas, neveras y congeladores.

Los propietarios no sólo se prestaron a enseñarme sus casas sino que lo hicieron contentos y orgullosos. Las habitaciones, aunque pequeñas, eran bien proporcionadas. Había todo tipo de elementos empotrados. Los ventanales, algunos llamados incluso panorámicos, destruían cualquier sensación de estar encerrado; los dormitorios y las camas eran amplios y el espacio de almacenamiento increíble. Me pareció una revolución en el modo de vivir y algo que se hallaba en un proceso de crecimiento rápido. ¿Por qué decidía una familia vivir en una casa así? Bueno, era cómoda, sólida, era fácil mantenerla limpia, fácil de calentar.

En Maine:

—Estoy harto de vivir en un pajar frío con el viento silbando por las rendijas, harto del tormento de los pequeños impuestos y pagos por esto y por aquello. Es caliente y acogedora y en el verano el aire acondicionado te mantiene fresco.

—¿Cuál es el nivel de ingresos de los que viven en casas móviles?

—Es variable, pero un buen número de ellos están en el nivel de entre diez mil y veinte mil dólares.

—¿Tiene algo que ver la inseguridad laboral con el rápido aumento de estas unidades?

—Bueno, es posible que haya algo de eso. ¿Quién sabe lo que puede pasar mañana? Viven en casas móviles mecánicos, ingenieros de la industria, arquitectos, contables e incluso algún médico o un dentista. Si un taller o una fábrica cierran, no quedas atrapado con una propiedad que no puedes vender. Suponga que el marido tiene un trabajo y está pagando una casa que ha comprado y se acaba el trabajo. La casa normal pierde todo el valor. Pero si tiene una casa móvil llama a un servicio de transporte y se traslada y no ha perdido nada. Tal vez no tenga que hacerlo nunca, pero el hecho de que pueda es un alivio para él.

—¿Cómo se compran?

—A plazos, exactamente igual que un coche. Es como pagar el alquiler.

Y luego descubrí el atractivo comercial mayor de todos, uno que está presente en casi todos los ámbitos de la vida del país. Se introducen todos los años mejoras en estas casas móviles. Si te va bien, entregas la tuya para conseguir un nuevo modelo si puedes permitírtelo. Hay estatus en eso. Y lo que te pagan por la vieja es más de lo que pagan por los automóviles, porque hay un mercado de casas usadas que espera. Y al cabo de unos años la casa en tiempos cara puede pasar a una familia más pobre. El mantenimiento es fácil, no hay que pintar porque suelen ser de aluminio y no están vinculadas a los valores fluctuantes del terreno.

—¿Y las escuelas?

Los autobuses escolares recogen a los niños en el punto

de estacionamiento y vuelven a llevarlos allí. El coche de la familia lleva al cabeza de familia a trabajar y a la familia a un autocine de noche. Es una vida sana, se disfruta del aire del campo. Los pagos, aunque sean altos y vayan adornados con intereses, no son en realidad peores que el alquiler de un piso y tener que pelearse luego con el dueño por la calefacción. ¿Y dónde podrías alquilar un piso de planta baja tan cómodo con un sitio para el coche a la puerta? ¿En qué otro sitio podrían tener los niños un perro? Casi todas las casas móviles tienen un perro, como descubrió pronto Charley muy contento. Me invitaron dos veces a cenar en una y estuve varias veces viendo partidos de fútbol americano por televisión. El dueño de uno de los estacionamientos me contó que una de las primeras consideraciones en su negocio era encontrar y comprar un terreno donde la recepción de la televisión sea buena. Yo, como no necesitaba ningún servicio, ni desagüe, ni agua ni electricidad, sólo tenía que pagar un dólar por noche.

La primera impresión que se me impuso fue que la permanencia no era algo que lograse ni desease la gente de las casas móviles. No compran pensando en las futuras generaciones, sino sólo hasta que salga un nuevo modelo que puedan permitirse. Las unidades móviles no se hallan limitadas ni mucho menos a las comunidades de los puntos de estacionamiento. Hay centenares de ellas instaladas al lado de la casa de una granja, y me explicaron el porqué. Hubo una época en que, con ocasión del matrimonio de un hijo y el añadido de una esposa y más tarde de hijos a la granja, se acostumbraba a añadir a la casa un ala o al menos un cobertizo. Ahora en muchos casos ocupa el lugar de la edificación adicional una unidad móvil. Un campesino al que compré huevos y tocino ahumado casero me explicó las ventajas. Cada familia tiene una intimidad que antes nunca tenía. Los viejos no se enfadan ya porque los bebés lloren. El problema de la suegra se mitiga porque la nueva hija tiene una intimidad que antes nunca tenía y un sitio propio en el que construir la estructura de una familia. Cuando se vayan, y casi todos los estadounidenses lo hacen, o quieren hacerlo, no dejan habitaciones que no se utilizan ya y por lo tanto son inútiles. Las relaciones entre generaciones mejoran mucho. El hijo es un invitado cuando visita la casa de los padres, y los padres lo son en la casa del hijo.

Luego están los solitarios, y también he hablado con ellos. A lo largo del viaje ves en lo alto de un cerro una casa móvil solitaria emplazada allí para dominar un amplio panorama. Otras se acurrucan debajo de los árboles al borde de un río o un lago. Estos solitarios han alquilado un pedacito de tierra al propietario. Sólo necesitan lo suficiente para la unidad y el derecho de paso para llegar a ella. A veces el solitario cava un pozo para disponer de agua y un pozo negro y planta un huerto, pero otros transportan su agua en bidones de ciento noventa litros. Algunos de los solitarios demuestran un enorme ingenio para situar el depósito de agua más alto que la unidad y conectarlo con tubería de plástico para que esté asegurado el suministro gracias a la gravedad.

Una de las cenas que compartí en un hogar móvil fue cocinada en una cocina inmaculada, con azulejos de plástico en la pared, con fregaderos de acero inoxidable y hornos y quemadores fijados a la pared. El combustible es butano o algún otro gas embotellado que se pueda comprar en cualquier sitio. Cenamos en una alcoba-comedor con paneles de contrachapado de caoba. Fue la mejor cena y la más cómoda de todo el viaje. Yo había comprado una botella de whisky como aportación y después nos sentamos en unos asientos cómodos y mullidos, tapizados con gomaespuma. A aquella familia le gustaba el tipo de vida que llevaba y no pensaba volver al viejo sistema. El marido trabajaba de mecánico en un garaje que quedaba a unos seis kilómetros de distancia y se ganaba bien la vida. Tenían dos hijos que iban caminando todas las mañanas hasta la carretera, donde les recogía un autobús escolar amarillo.

Mientras tomaba un *highball* despues de la cena, oyendo el rumor del agua en el lavaplatos eléctrico de la cocina, planteé una cuestión que no había conseguido aclarar. Se trataba de gente buena, inteligente, reflexiva.

—Uno de nuestros sentimientos más estimados—dije— es el que se relaciona con las raíces, lo de crecer enraizado en una tierra determinada o una comunidad.

¿Qué pensaban ellos de criar a sus hijos sin raíces? ¿Era bueno o malo? ¿Lo echarían de menos o no?

El padre, un hombre de piel clara y ojos oscuros, bien parecido, me contestó:

—¿Cuánta gente tiene hoy eso de lo que estás hablando? ¿Qué raíces hay en un piso de un edificio de doce plantas? ¿Qué raíces hay en una urbanización de cientos y miles de pequeños pisos casi exactamente iguales? Mi padre vino de Italia. Se crió en la Toscana en una casa en la que su familia había vivido tal vez mil años. Eso son raíces para ti, sin agua corriente, sin retrete, cocinaban con carbón o con sarmientos. No tenían más que dos habitaciones, una cocina y un dormitorio donde dormían todos, el abuelo, el padre y todos los hijos, no tenían ningún sitio para leer, ningún sitio para estar solos, y nunca lo habían tenido. ¿Era mejor eso? Apuesto a que si le dieses a elegir a mi viejo, cortaría las raíces y viviría de este modo—e indicó con la mano la cómoda habitación en la que estábamos—. Lo cierto es que cortó las raíces y se vino a América. Vivió al principio en un piso en Nueva York... una habitación nada más, sin ascensor, sólo agua fría, sin calefacción. Allí fue donde nací yo, y viví en las calles de niño hasta que mi viejo consiguió un trabajo al norte del estado de Nueva York, en la región del vino. En fin, él sabía de viñas, era de lo único que sabía. Pensemos por ejemplo en mi mujer. Es de origen irlandés. Su familia también tenía raíces.

—En una turbera—dijo la mujer—. Y se alimentaban de patatas.

Miró amorosamente a través de la puerta hacia su magnífica cocina.

—¿No echáis de menos algún tipo de permanencia?

—¿Quién la tiene? La fábrica cierra, te vas. Van mejor las

cosas en otro sitio, te trasladas allí. Si tienes raíces no te mueves y te mueres de hambre. Piensa en los pioneros de los libros de historia. Eran gente que estaba en movimiento. Ocupaban tierra, la vendían, seguían viaje. Leí en un libro cómo vino a Illinois en una balsa la familia de Lincoln. Toda la cuenta bancaria que tenían era unos barriles de whisky. ¿Cuántos chicos de este país se quedan en el lugar en que nacieron, si pueden irse?

—Habéis pensado mucho en ello.

—No hace falta pensarlo. Es evidente. Tengo un buen oficio. Mientras haya automóviles puedo conseguir trabajo, pero supongamos que el sitio donde trabajo quiebra. Tengo que irme a donde haya trabajo. Llego a mi trabajo en tres minutos. ¿Crees que debería recorrer treinta kilómetros por tener raíces?

Luego me enseñaron revistas destinadas exclusivamente a los usuarios de casas móviles, relatos y poemas y consejos para una vida móvil satisfactoria. Cómo arreglar una gotera. Cómo elegir un sitio donde dé el sol o donde haga fresco. Y había anuncios de aparatos, cosas fascinantes, para cocinar, limpiar, lavar la ropa, mobiliario y camas y cunas. Había también fotos a toda página de nuevos modelos, cada uno mayor que el anterior y más relumbrante.

—Hay miles de ellos—dijo el padre—, y llegará a haber millones.

—Joe es todo un soñador—dijo la mujer—. Siempre está inventando algo. Explícale tus ideas, Joe.

—Quizás no le interesen.

—Seguro que me interesan.

—Bueno, no es un sueño como dice ella, es una cosa real, y voy a hacerlo muy pronto. Hace falta un pequeño capital, pero sería rentable. He estado buscando en los sitios en que venden material usado la unidad que quiero al precio que quiero pagar. Para quitarle las tripas y acondicionarla como taller de reparaciones. Tengo ya casi todas las herramientas que necesito, y me haré con cosas como limpiaparabrisas y correas de ventilador y arandelas de cilindro y tuberías interiores, cosas de ese tipo. Porque estos sitios están haciéndose cada vez mayores. Hay gente de las casas móviles que tiene dos coches. Alquilaré unos treinta metros de terreno al lado y abriré el negocio. Hay una cosa que es segura con los coches, casi siempre tienen algo que hay que arreglar. Y tendré mi casa, esta misma, al lado del taller. De ese modo podría ofrecer un servicio permanente las veinticuatro horas del día.

—Parece una buena idea—dije. Y lo es.

—Lo mejor del asunto—continuó Joe—es que si el negocio afloja, pues bueno, me trasladaría a otro sitio donde estuviese bien la cosa.

—Joe lo tiene todo resuelto sobre el papel—dijo su mujer—, dónde va a ir todo, cada llave de tuercas y cada taladro, incluso la soldadora eléctrica. Joe es un soldador maravilloso.

—Vuelvo a lo que dije, Joe—dije yo—. Creo que tienes las raíces en un taller mecánico.

—Hay cosas peores. Incluso he resuelto eso. Y bueno, cuando los críos se hagan mayores podemos incluso bajar trabajando hasta el sur en invierno y subir hacia el norte en verano.

—Joe trabaja bien—dijo su esposa—. Tiene sus propios clientes fijos donde trabaja. Hay algunos que recorren ochenta kilómetros para que les arregle el coche Joe, porque trabaja bien.

—Soy un mecánico muy bueno—dijo Joe.

Yendo por la gran autopista, cerca de Toledo, tuve una conversación con Charley sobre el tema de las raíces. Él escuchaba pero no contestaba. En el esquema mental sobre las raíces, yo y la mayoría de las demás personas hemos dejado de considerar dos cosas. ¿Podría ser que los estadounidenses fuesen una gente inquieta, una gente itinerante, que no se siente nunca contenta con el sitio donde está por una cuestión de selección? Los pioneros, los inmigrantes que poblaron el país, eran los inquietos de Europa. Los que tenían firmes raíces se quedaron en casa y aún siguen allí. Pero todos nosotros, salvo los negros traídos a la fuerza como esclavos, descendemos de los inquietos, los díscolos que no se conformaron con quedarse en casa. ¿No sería raro que no hubiésemos heredado esa tendencia? Y lo cierto es que la hemos heredado. Pero se trata de una consideración a corto plazo. ¿Qué son las raíces y cuánto hace que las tenemos? Si nuestra especie tiene un par de millones de años de existencia, ¿cuál es su historia? Nuestros remotos ancestros seguían a la caza, se desplazaban con el suministro de alimentos, y huían del mal tiempo, del hielo y de los cambios estacionales. Luego, después de milenios inimaginables domesticaron algunos animales, de manera que pasaron a vivir con su reserva de alimentos. Entonces seguían por necesidad a la hierba que alimentaba sus rebaños en vagabundeos interminables. Sólo cuando empezó a practicarse la agricultura (y eso es no hace mucho por lo que se refiere al total de la historia) alcanzó un lugar sentido y valor y permanencia. Pero la tierra es algo tangible, y las cosas tangibles tienden a concentrarse en pocas manos. Así fue como un hombre quiso la propiedad de la tierra y quiso al mismo tiempo la servidumbre, porque alguien tenía que trabajarla. Las raíces estaban en la propiedad de la tierra, en posesiones tangibles e inamovibles. De acuerdo con este punto de vista, somos una especie inquieta con una historia muy corta de raíces, y éstas no ampliamente distribuidas. Quizás hayamos sobrevalorado las raíces como necesidad psíquica. Quizás cuanto mayor el anhelo más antigua y más profunda sea la necesidad, la voluntad, el ansia de estar en otro sitio.

Charley no tenía nada con qué responder a mi premisa. Además, estaba hecho un asco. Me había prometido mantenerlo peinado y con el pelo corto y guapo, y no lo había hecho. Estaba sucio y lanudo. Los caniches no sueltan el pelo lo mismo que no lo hacen las ovejas. De noche, cuando había previsto realizar esa virtuosa tarea de acicalamiento, estaba siempre demasiado ocupado con alguna otra cosa. Descubrí además que Charley tenía una alergia peligrosa que no sabía que tuviese. Una noche paré en un estacionamiento para camioneros donde habían parado y limpiado sus cajas unos inmensos camiones de ganado; había alrededor del aparcamiento una montaña de estiércol y una niebla de moscas. Aunque Rocinante estaba provisto de pantallas mosquiteras, entraron millones de moscas y se escondieron en los rincones y no había manera de expulsarlas. Recurrí por primera vez al insecticida y rocié generosamente. A Charley le dio un ataque de estornudos tan violento y prolongado que tuve que sacarlo al final en brazos. Por la mañana estaba todo lleno de moscas adormiladas y volví a rociar y Charley tuvo otro ataque. Después de eso, siempre que nos invadían visitantes alados tenía que sacar a Charley y ventilar una vez liquidada la plaga. Nunca vi una alergia tan grave como aquélla.

Como hacía mucho tiempo que no visitaba el Medio Oeste, se agolparon en mí muchas impresiones mientras cruzaba Ohio y Michigan e Illinois. La primera fue el enorme aumento de población. Las aldeas se habían convertido en pueblos y los pueblos se habían convertido en ciudades. Las carreteras estaban atestadas de tráfico; la densidad humana era tan grande en las ciudades que tenías que concentrar toda tu atención para evitar colisionar con alguien o que colisionara alguien contigo. La impresión siguiente era de una energía eléctrica, una fuerza, casi un flujo de energía tan potente que resultaba contundente en su impacto. Fuese cual fuese la dirección, fuese para bien o para mal, la vitalidad estaba en todas partes. No creo en absoluto que la gente a la que vi y con la que hablé en Nueva Inglaterra fuese ni antipática ni descortés, pero hablaban tersamente y esperaban normalmente a que el recién llegado iniciase la conversación. Casi nada más cruzar la frontera de Ohio tuve la impresión de que la gente era más abierta y más extrovertida. La camarera de un puesto de carretera decía buenos días antes de que yo tuviese la oportunidad de hacerlo, te explicaba lo que tenía de desayuno como si le gustase la idea, hablaba con entusiasmo del tiempo, a veces ofrecía incluso algo de información sobre ella misma sin necesidad de que yo la estimulase a hacerlo. Los desconocidos hablaban con toda libertad entre ellos sin recelo. Se me había olvidado lo fértil y lo hermoso que es el campo, su profunda capa vegetal, la frondosidad de los grandes árboles, el país lacustre de Michigan, bello como una mujer bien formada y vestida y enjoyada. Me dio la impresión de que como allí en el corazón del país la tierra era generosa y extrovertida, quizá la gente seguía el ejemplo.

Uno de mis objetivos era escuchar, oír hablar, fijarme en el acento, en los ritmos del habla, en los tonos, en el énfasis. Porque el habla es mucho más que palabras y frases. Escuché en todas partes. Me pareció que el habla regional está en proceso de desaparición, que no ha muerto pero que está muriendo. Cuarenta años de radio y veinte años de televisión deben de haber tenido esta consecuencia. Las comunicaciones acaban destruyendo el localismo, por un proceso lento e inevitable. Yo aún recuerdo una época en que casi podía señalar el lugar de origen de un hombre por su habla. Esto se está haciendo más difícil ahora y resultará imposible en un futuro previsible. Es rara la casa que no está aparejada con puntiagudas cardadoras del aire. El lenguaje de la radio y la televisión se convierte en el inglés regularizado, tal vez el mejor que hayamos utilizado jamás. Lo mismo que nuestro pan, amasado y horneado, empaquetado y vendido sin beneficiarse del accidente ni de la fragilidad humana, es uniformemente bueno y uniformemente insípido, así nuestra habla se convertirá en una sola habla.

A mí que me encantan las palabras y la posibilidad infinita de palabras me entristece este hecho inevitable. Porque con el acento local desaparecerá el ritmo local. Los modismos, las metáforas que hacen que el lenguaje sea rico y esté lleno de la poesía del lugar y el momento morirán inevitablemente. Y en su lugar habrá un habla nacional, envuelta y empaquetada, uniforme e insípida. Lo local no ha muerto pero está muriendo. En la serie de años transcurridos desde la última vez que había oído hablar al país se ha producido un cambio muy grande. Viajando hacia el oeste a lo largo de las rutas del norte no oí una auténtica habla local hasta que llegué a Montana. Ésa es una de las razones por las que volví a enamorarme de Montana. En la Costa Oeste volvió el inglés empaquetado. El Suroeste mantenía un resto de localismo pero que se estaba esfumando ya. El Sur profundo, por supuesto, se mantiene fiel en general a sus expresiones regionales, lo mismo que conserva y atesora algunos otros anacronismos, pero ninguna región puede resistir mucho tiempo frente a la autopista, la red de alta tensión y la televisión nacional. Tal vez no merezca la pena conservar eso por lo que lloro, pero de todos modos lamento su pérdida.

Aunque proteste contra la producción en serie de nuestros alimentos, nuestras canciones, nuestro idioma y con el tiempo nuestras almas, no dejo de tener presente, hasta cuando lo hago, que era raro el hogar que hacía buen pan en los viejos tiempos. Mamá era, con raras excepciones, una cocinera pobre, la buena leche sin pasteurizar del pasado sólo tocada por las moscas y las salpicaduras de estiércol estaba llena de bacterias, la vida sana de antaño estaba salpicada de dolores, de muerte súbita por causas desconocidas, y que esa habla local por la que lloro era hija de la ignorancia y la incultura. Es propio de la naturaleza del ser humano cuando se hace viejo, un pequeño puente en el tiempo, protestar contra el cambio, sobre todo el cambio para mejor. Pero es cierto que hemos cambiado hambre por corpulencia y que cualquiera de las dos puede matarnos. El cambio se ha iniciado ya y es imparable. Nosotros, o yo al menos, no somos capaces de prever cómo serán la vida humana y el pensamiento humano de aquí a cien o a cincuenta años. Tal vez el máximo de mi sabiduría sea saber que no sé. Los tristes son los que desperdician su energía intentando retener, pues sólo pueden sentir amargura por la pérdida y ninguna alegría por la ganancia.

Mientras pasaba a través o cerca de las grandes colmenas de producción (Youngstown, Cleveland, Akron, Toledo, Pontiac, Flint y luego South Bend y Gary) golpeaban mis ojos y mi mente la inmensidad y la energía fantásticas de la producción, una complicación que parece caos y no puede serlo. También podría contemplar uno un hormiguero y no ver ningún método ni dirección ni propósito en sus raudos y apresurados habitantes. Lo que resultaba maravilloso era que pudiese llegar de nuevo a una tranquila carretera rural bordeada de árboles, con campos vallados y vacas y pudiese aparcar a Rocinante al borde de un lago de agua clara y limpia y ver arriba en el cielo las flechas de patos y gansos volando hacia el sur. Allí Charley podía leer con su delicada nariz exploradora su propia literatura particular en matorrales y troncos de árboles y dejar su mensaje allí, quizá tan importante en el tiempo infinito como estos garabatos que trazo yo con la pluma sobre papel efímero. Allí en la quietud, con el viento moviendo las ramas de los árboles y deformando el espejo del agua, cociné comidas increíbles en mis cacerolas desechables de aluminio, hice un café tan fuerte y espeso que flotaría en él una aguja y, sentado en mis escalerillas de la puerta de atrás, pude al fin llegar a pensar sobre lo que había visto e intentar poner en orden algún esquema mental en que encajasen las muchedumbres hormigueantes de lo visto y lo oído.

Os explicaré cómo fue. Si vas a los Ufizzi de Florencia, al Louvre de París, quedas tan abrumado por el número, el poder de aquella majestuosidad, que sales de allí desasosegado, con una sensación como de estreñimiento. Y luego, cuando estás solo y recuerdas, los lienzos se seleccionan solos; tu gusto y tus limitaciones eliminan unos, pero otros se alzan claros y limpios. Luego puedes volver a mirar una cosa sin que te atribulen los gritos de la multitud. Después de la confusión puedo entrar en el Prado de Madrid y pasar sin ver los mil cuadros que reclaman mi atención a gritos y puedo visitar a un amigo: un Greco grande, *San Pablo con un libro.* San Pablo acaba de cerrar el libro. Está marcando con un dedo la última página leída y en su cara hay interrogación y voluntad de entender una vez cerrado el libro. Tal vez sólo sea posible entender después. Años atrás, cuando yo trabajaba en el bosque, se decía de los madereros que hacían su trabajo en el prostíbulo y que tenían sus actividades sexuales en el bosque. Así, yo también, he hallado mi camino a través de las líneas de producción en crecimiento explosivo del Medio Oeste mientras estaba sentado solo a la orilla de un lago en el norte de Michigan.

Cuando estaba allí sentado en el silencio, paró con un chirrido de frenos un jeep en la carretera y el buen Charley abandonó su tarea y rugió. Salió de él un joven de botas, pantalones de pana y un chaquetón a cuadros rojos y negros y se acercó a mí. Habló con el tono áspero y hostil que se utiliza cuando no le gusta a uno mucho lo que tiene que hacer.

—¿No ha visto usted el letrero? Esto es propiedad privada.

Normalmente su tono habría encendido una yesca en mí. Habría estallado en una llamarada de cólera desagradable y él habría podido entonces proceder a mi desahucio con satisfacción y con buena conciencia. Podríamos haber desembocado incluso en un enfrentamiento violento y apasionado. Eso habría sido lo normal, pero la belleza y el sosiego del lugar hicieron que me costase tiempo reaccionar con rabia y en la vacilación la perdí por completo.

—Sabía que debía ser privado—dije—. Me disponía a buscar a alguien para pedir permiso o incluso pagar por parar aquí.

—El propietario no quiere que acampe gente. Dejan papeles por ahí y encienden fuego.

—No se lo reprocho. Sé lo que ensucian.

—¿Ve el cartel que hay en ese árbol? Prohibido el paso, no se permite cazar, pescar ni acampar.

—Bueno—dije—. La cosa parece estar muy clara. Si su trabajo es echarme, lo ha conseguido. Me iré pacíficamente. Pero acabo de preparar un puchero de café. ¿Cree usted que a su jefe le importaría que terminase de hacerlo? ¿Le importaría que le ofreciese a usted una taza? Así podría echarme usted más rápido.

El joven sonrió.

—Qué demonios—dijo—. Usted no hace fuego y no tira nada de basura.

—Estoy haciendo algo que es peor que eso. Estoy intentando sobornarle a usted con una taza de café. Y algo peor aún, además. Le propongo echar un chorrito de Old Grandad en el café.

Entonces se echó a reír.

—¡Qué demonios!—dijo—. Espere usted que retire el jeep de la carretera.

En fin, se vino abajo todo el esquema. Se sentó en el suelo con las piernas cruzadas sobre la pinaza y empezó a tomar su café. Charley le olisqueó y se dejó tocar, y eso es algo raro en Charley. No deja que lo acaricien los desconocidos, procura mantenerse siempre a distancia. Pero los dedos de aquel joven encontraron ese lugar situado detrás de las orejas donde a Charley le encanta que le rasquen y se aposentó allí suspirando de satisfacción.

—¿Qué anda usted haciendo... va de caza? Veo que tiene armas en el coche.

—Sólo estoy viajando. En fin, ya sabe, cuando uno ve un sitio y está bien y estás ya bastante cansado, no tienes más remedio, creo, que parar.

—Sí—dijo él—. Sé lo que quiere decir. Tiene usted un vehículo que está muy bien.

—Me gusta y a Charley le gusta también.

—¿Charley? Es la primera vez que veo llamar Charley a un perro. Hola, Charley.

—No querría causarle problemas con su jefe. Creo que debería sacar el culo de aquí.

—¡Qué demonios!—dijo—. Él no está aquí. Soy yo el que está al cargo. No está haciendo usted nada malo.

—He entrado en propiedad ajena sin autorización.

—¿Sabe una cosa? Acampó aquí un tipo, estaba un poco

loco. Y bueno, vine a echarle. Y me dijo una cosa curiosa. Va y me dice: «Entrar aquí no es un delito y no es una falta». Un agravio, me dice que es. ¿Y qué demonios significa eso, vamos a ver? Era un individuo que estaba un poco loco.

—A mí que me registren—dije—. Yo no estoy loco. Déjeme que le anime un poco ese café.

Se lo animé dos veces.

—Hace usted un café estupendo—dijo.

—Tengo que encontrar un sitio para parar antes de que se haga de noche. ¿Conoce usted algún sitio carretera arriba donde me dejen pasar la noche?

—Si sube por ese camino hasta detrás de aquellos pinos no podrá verle nadie desde la carretera.

—Pero cometo un agravio.

—Sí. Ojalá pudiese saber lo que significa eso.

Subió delante de mí en el jeep y me ayudó a buscar un sitio llano en el pinar. Y cuando se hizo de noche entró en Rocinante y admiró sus servicios y tomamos un poco de whisky juntos y pasamos una agradable velada y nos contamos unas cuantas mentiras. Le enseñé unos cuantos cachivaches que había comprado en Abercrombie and Fitch y le di uno, y le di una novela de misterio que acababa de terminar, muy cargada de sadismo y de erotismo, y también un ejemplar de *Field and Stream.* A cambio me invitó a quedarme todo el tiempo que quisiese y dijo que vendría por la mañana y que iríamos a pescar, y yo acepté por un día al menos. Es agradable tener amigos y además quería un poco de tiempo para pensar sobre las cosas que había visto, las plantas y fábricas inmensas y el ajetreo de la producción.

El guardia del lago era un hombre solitario, y lo era aún más por el hecho de que tenía una esposa. Me enseñó una foto de ella que llevaba en un compartimento de plástico de la cartera. Era una bonita rubia que se esforzaba todo lo posible por estar al nivel de las fotos de las revistas, una chica de productos de belleza, permanentes caseras, champús, aclarados, acondicionadores para la piel. No soportaba vivir en lo que ella llamaba el fin del mundo, ansiaba la vida elegante y refinada que se vivía en Toledo o South Bend. Su única compañía la encontraba en las páginas satinadas de *Charm* y de *Glamour*. Acabaría saliéndose con la suya y abriéndose paso hasta el triunfo. Su marido conseguiría un trabajo en algún gran organismo estruendoso del progreso, y a partir de entonces serían felices siempre. Todo esto salió a la luz en pequeños comentarios indirectos de su marido en la conversación que tuve con él. Ella sabía exactamente lo que quería y él no, pero lo que él quería le torturaría toda la vida. Después de que se fue en su jeep viví su vida por él y eso me cubrió de una niebla de desesperación. Él quería a su linda mujercita y quería algo más y no podía tener las dos cosas.

Charley tuvo un sueño tan violento que me despertó. Agitaba las patas en los movimientos de correr y lanzaba grititos de entusiasmo. Tal vez soñase que perseguía a un conejo gigantesco y que no conseguía llegar a cazarlo. O tal vez le persiguiese a él algo en su sueño. Ante este segundo supuesto alargué la mano y lo desperté, pero debía de tratarse de un sueño muy intenso. Murmuraba para sí y se quejaba y bebió medio cuenco de agua antes de volver a dormirse.

El guarda volvió poco después de salir el sol. Traía una caña y yo saqué la mía y le coloqué un carrete y tuve que buscar las gafas para engancharlas en la visera pintada de un color claro. El sedal de monofilamento es transparente, se dice que es invisible para los peces, y es completamente invisible para mí sin las gafas.

—Bueno—dije—, yo no tengo licencia de pesca.

—Qué demonios—dijo él—, probablemente no pesquemos nada de todas maneras.

Y tenía razón, así fue.

Fuimos andando y echando el cebo al agua y haciendo todo lo que sabíamos para interesar a lucios y percas.

—Están ahí abajo... sí pudiéramos hacerles llegar el mensaje—decía cada poco mi amigo.

Pero no pudimos. Si estaban de verdad allá abajo, aún deben seguir allí. Hay una cantidad considerable de pesca que es así, pero de todos modos me gusta. Mis deseos son sencillos. No tengo ningún ansia de atrapar a un monstruo símbolo del destino y demostrar mi virilidad en una guerra piscícola titánica. Pero a veces me gusta conseguir un par de peces serviciales de talla freíble. A mediodía rechacé la invitación a ir a comer y conocer a su esposa. Me sentía cada vez más inquieto por el deseo de reunirme con la mía, así que continué viaje rápidamente.

Hubo una época, no hace mucho, en que un hombre se embarcaba y dejaba de existir durante dos o tres años o para siempre. Y cuando las carretas cubiertas se ponían en camino para cruzar el continente, amigos y parientes que se quedaban en casa podían no volver a tener noticia nunca más de los viajeros. La vida seguía, se resolvían los problemas, se tomaban decisiones. Hasta yo puedo recordar cuando un telegrama significaba sólo una cosa: una muerte en la familia. En el breve espacio de una vida humana el teléfono ha cambiado todo eso. Si en esta narración errática da la impresión de que he cortado los vínculos con las penas y las alegrías de la familia, las actividades delincuentes actuales de mi primer hijo y los dientes nuevos del segundo, del calvario y el triunfo de todo el asunto, no es así. Tres veces por semana desde algún bar, supermercado o estación de servicio atestada de piezas y neumáticos, hacía llamadas a Nueva York y restablecía mi identidad en el tiempo y en el espacio. Durante tres o cuatro minutos tenía un nombre, y los deberes y alegrías y frustraciones que un hombre lleva consigo como la cola de un cometa. Era como andar yendo y viniendo de una dimensión a otra, la explosión silenciosa de la ruptura de una barrera del sonido, una experiencia curiosa, como una inmersión rápida en aguas conocidas pero ajenas.

Estaba previsto que mi esposa iría en avión a Chicago para que nos viéramos allí en un breve descanso de mi viaje. En dos horas, teóricamente al menos, atravesaría volando un sector de la tierra que a mí me había llevado semanas recorrer traqueteando. Me puse nervioso, atascado ante una inmensa carretera de peaje que sigue la frontera norte de Indiana, bordeé Elkhart y South Bend y Gary. La naturaleza de la carretera describe la naturaleza del viaje. Era toda recta, y eso y el susurro del tráfico y la velocidad uniforme producen un efecto hipnótico, y mientras van pasando los kilómetros se va asentando en uno un agotamiento imperceptible. No hay diferencia entre el día y la noche. El sol poniente no es ni una invitación a parar ni una orden de hacerlo, pues el tráfico prosigue sin interrupción.

De noche, tarde ya, paré en una zona de descanso, tomé una hamburguesa en el mostrador del gran comedor que nunca cierra y paseé con Charley por la hierba recortada. Dormí media hora pero desperté mucho antes de que amaneciera. Había llevado zapatos, camisas y trajes de ciudad, pero me había olvidado de llevar una maleta para transportarlos desde la camioneta a la habitación del hotel. De hecho, no sé donde podría haber guardado una maleta. En una lata de basura, debajo de una luz de arco voltaico, encontré una caja de cartón ondulado limpia y metí en ella mis ropas de ciudad. Las camisas blancas limpias las envolví con mapas de carretera y até la caja de cartón con sedal.

Conociendo mi tendencia al pánico en el estruendo y la aglomeración del tráfico, entré en Chicago mucho antes de que amaneciera. Quería llegar al Ambassador East, donde tenía reservas, y acabé perdido, como era de esperar. Finalmente, en un arranque de inventiva, alquilé un taxi de los del servicio nocturno para que me guiara, y había pasado, claro, muy cerca del hotel. Si al portero y a los botones les parecieron insólitos mis medios de viaje, no mostraron ningún indicio de ello. Repartí mis trajes en perchas, los zapatos los metí en el bolso de una cazadora y las camisas en su limpio envoltorio de mapas de carretera de Nueva Inglaterra. Rocinante fue trasladado rápidamente a un garaje donde debía quedar aparcado. Charley tuvo que ir a una residencia canina para que lo guardaran, lo bañaran y lo acicalaran. A pesar de la edad que tiene, aún es un perro vanidoso y le encanta estar guapo, pero cuando se dio cuenta de que se le iba a dejar solo, y en Chicago, se desmoronó su aplomo habitual y lloró de rabia y de desesperación. Yo me tapé los oídos y me fui rápidamente al hotel.

Yo creo que en el Ambassador East se me conoce bastante bien y se me acoge muy favorablemente, pero esto no rige, claro, si llego con ropa de caza arrugada, sin afeitar y con una leve costra del polvo del viaje y los ojos empañados de conducir la mayor parte de la noche. Tenía una reserva, ciertamente, pero mi habitación no podría desocuparse hasta el mediodía. Se me explicó detenidamente la posición del hotel. La comprendí y disculpé a la dirección. Mi posición fue que me gustaría disponer de un cuarto de baño y una cama, pero puesto que esto era imposible me instalaría en un sillón en el vestíbulo y dormiría allí hasta que estuviese disponible mi habitación.

Vi en los ojos del hombre de recepción la sensación de desasosiego que esto le producía. Hasta yo comprendía que no iba a ser un ornamento en aquella elegante y cara cúpula de placer. Hizo una seña a un ayudante, quizá por telepatía, e ideamos entre todos una solución. Un caballero acababa de irse para coger un avión de primera hora. Aún no se había limpiado ni preparado su habitación, pero me dejarían usarla con mucho gusto hasta que estuviese lista la mía. Así que se resolvió el problema con inteligencia y paciencia, y consiguió cada uno lo que quería: yo tuve mi opción a un baño caliente y a dormir un poco, y el hotel se ahorró el inconveniente de tenerme en el vestíbulo.

La habitación estaba tal como la había dejado su anterior ocupante. Me retrepé en un cómodo sillón a quitarme las botas e incluso llegué a quitarme una de ellas antes de que empezase a fijarme en cosas y luego en más y más. En un espacio de tiempo sorprendentemente corto olvidé el baño y el sueño y pasé a sentirme profundamente absorbido por Harry el Solitario.

Un animal que descansa en un sitio o pasa por él deja hierba aplastada, huellas y quizás excrementos, pero un ser humano que ocupa una habitación una noche deja impreso su carácter, su biografía, su historia reciente y a veces sus esperanzas y planes para el futuro. Creo además que la personalidad impregna las paredes y se va desprendiendo luego lentamente. Esto podría muy bien ser una explicación de los fantasmas y de manifestaciones de ese tipo. Aunque mis conclusiones puedan ser erróneas, parezco ser sensible al rastro del ser humano. Además, confieso sin el menor recato que soy un mirón incorregible. Jamás he pasado por delante de una ventana sin persianas o visillos sin que haya mirado adentro, jamás he hecho oídos sordos a una conversación que no era asunto mío. Puedo justificar y hasta dignificar esto alegando que en mi oficio hay que saber cosas de la gente, pero sospecho que soy simplemente curioso.

En cuanto me senté en aquella habitación aún revuelta, empezó a adquirir forma y dimensiones Harry el Solitario. Podía sentir a aquel huésped que acababa de irse en las piezas y fragmentos de sí mismo que había dejado atrás. Por supuesto, Charley, incluso con su nariz imperfecta, habría descubierto más cosas que yo. Pero Charley estaba en una residencia canina preparándose para un trasquilado. De todos modos, Harry es para mí tan real como cualquier otra persona que haya conocido, y más que muchas de ellas. No es único, pertenece en realidad a un grupo bastante grande. En consecuencia se convierte en objeto de interés en cualquier investigación sobre el país. Antes de que empezase a recomponerlo, para que no se pongan nerviosos cierto número de individuos, permitidme que aclare que no se llama Harry. Vive en West Point, Connecticut. Esta información procede de las etiquetas de la lavandería de varias camisas. Un hombre suele vivir en el sitio donde lava sus camisas. Creo que trabaja en Nueva York, pero es sólo una suposición. Su viaje a Chicago fue primordialmente un viaje de trabajo con ciertos placeres tradicionales añadidos.

Conozco su nombre porque estampó su firma varias veces en papel de cartas del hotel, cada firma con una inclinación algo distinta. Esto parece indicar que no está seguro del todo de sí mismo en el mundo del trabajo, pero había además otros indicios de eso.

Inició una carta para su esposa que acabó también en la papelera. «Querida: Todo está yendo bien. Intenté hablar con tu tía pero no contestaba nadie. Ojalá estuvieses aquí conmigo. Ésta es una ciudad solitaria. Se te olvidó meterme los gemelos en la maleta. Compré unos baratos en Marshall Field. Estoy escribiendo esto mientras espero a que llame C. E. Espero que traiga el cont...».

Menos mal que Querida no se dejó caer por allí para hacer que Chicago le resultase una ciudad menos solitaria a Harry. La visita que recibió éste no fue C. E. con un contrato. Fue una morena con un lápiz de labios muy claro... según atestiguaban las colillas que había en el cenicero y el borde de un vaso de whisky. Bebieron Jack Daniel's, una botella entera: estaba allí vacía con seis botellitas de soda y un cuenco en el que había habido cubitos de hielo. Ella usaba un perfume fuerte y no se quedó a pasar la noche: la segunda almohada había sido utilizada pero no se había dormido en ella, además, no había carmín en pañuelitos de papel. Me gusta pensar, no sé por qué, que se llamaba Lucille. Quizá porque se llamaba así y se llama. Fue una amiga inquieta: fumó los cigarrillos con filtro de Harry, pero sin consumir nunca más de un tercio de ellos, encendiendo otro enseguida, y no se limitó a dejarlos, los aplastó, deshaciendo los extremos. Lucille llevaba uno de esos sombreritos minúsculos que se sostienen con peines en el pelo. Uno de los peines se le había soltado. Eso y una horquilla que había al lado de la cama me indicaron que Lucille es morena. No sé si Lucille es una profesional o no, pero al menos tiene cierta práctica. Hay una delicada cualidad eficiente en ella. No dejó demasiadas cosas por la habitación, como podría haber hecho una aficionada. No se emborrachó además. Su vaso estaba vacío pero el jarrón de rosas rojas (cortesía de la dirección) olía a Jack Daniel's y no les hacía a las rosas ningún bien.

Me pregunto de qué hablarían Harry y Lucille. Me pregunto si ella le hizo sentirse menos solo. La verdad es que lo dudo. Creo que ambos estuvieron haciendo lo que se esperaba de ellos. Harry no debería haber empinado tanto el codo. Su estómago no lo aguanta: había envoltorios de Tums en la papelera. Supongo que su trabajo es delicado y que le afecta al estómago. Harry el Solitario debió de acabarse la botella después de irse Lucille. Tenía resaca: había dos tubos de papel de plata de Bromo Seltzer en el cuarto de baño.

Acabé pensando tres cosas sobre Harry el Solitario. Primera, no creo que se divirtiese gran cosa; segunda, creo que se sentía realmente solo, lo que quizá fuese un estado crónico; y tercera, que no hizo ni una sola cosa que no pudiese haberse predicho: no rompió un vaso ni un espejo, no cometió ningún desmán, no dejó ninguna prueba material de alegría. Yo había estado recorriendo la habitación con un pie descalzo y la bota aún en el otro investigando sobre Harry. Miré incluso debajo de la cama y en el armario. Ni siquiera se había olvidado una corbata. Me dio pena del pobre Harry.

TERCERA PARTE

Chicago era un corte en mi viaje, una reasunción de mi nombre, mi identidad y mi condición de miembro de un matrimonio feliz. Mi esposa vino en avión del Este para su breve visita. Yo estaba encantado con el cambio, con volver a mi vida conocida y segura... pero tropiezo aquí con un obstáculo literario.

Chicago rompió mi continuidad. Esto es permisible en la vida pero no en la escritura. Así que dejo Chicago fuera, porque queda fuera del hilo narrativo, fuera del esquema. Para mi viaje fue agradable y bueno; pero por lo que se refiere a la escritura, sólo aportaría una ruptura.

Cuando terminó ese descanso y se dijo adiós, tuve que volver a pasar por la misma soledad deprimente una vez más, y no fue menos doloroso que la primera. Parecía no haber remedio alguno para la soledad más que estar solo.

A Charley le asediaban tres sentimientos distintos: rabia contra mí por dejarle solo, alegría de ver a Rocinante y puro orgullo por su apariencia. Porque Charley, cuando le lavan, le cortan el pelo y le acicalan, se siente tan satisfecho consigo mismo como un hombre con un buen traje o una mujer que acaba de recibir la pátina de un salón de belleza, convencidos todos ellos de que son siempre así. Las columnas peinadas de las patas de Charley eran cosas nobles, su gorra de pelo azul plata le daba un aspecto airoso y desenvuelto y movía el pompom de la cola como la batuta de un director de orquesta. El tupido bigote peinado y recortado le hacía parecer un libertino francés del siglo XIX, y ocultaba de paso sus dientes delanteros torcidos. Da la casualidad que yo sé el aspecto que tiene sin esos adornos. Un verano que se le quedó el pelo apelmazado y mohoso se lo corté al ras de la piel. Debajo de aquellas sólidas torres que parecían sus patas hay unas canillas larguiruchas, flacas y no demasiado rectas; sin la gorguera del pecho se le ve el estómago flácido de la edad madura. No sé si Charley tenía conciencia de sus ocultas deficiencias, pero el hecho es que no daba la menor muestra de ello. Si los modales hacen al hombre, entonces modales y acicalamiento hacen al caniche. Se sentó, noble y erguido, en el asiento de Rocinante y me dio a entender que aunque el perdón no era imposible, tendría que ganármelo.

Es un tramposo y yo lo sé. Cuando nuestros chicos eran pequeños les hicimos una vez la visita de los aburridísimos padres en el campamento de verano. Cuando estábamos a punto de marcharnos, una madre nos dijo que tenía que irse rápidamente para que a su hijo no le diese la histeria. Y con labios intrépidos pero temblorosos huyó ciegamente, ocultando sus sentimientos por el bien de su hijo. El chico observó cómo se iba y luego volvió con infinito alivio a su pandilla y sus asuntos, sabiendo que también él había cumplido su papel. Estoy seguro de que cinco minutos después de haber dejado a Charley él había encontrado nuevas amistades y había arreglado las cosas para estar a gusto. Pero había una cosa que Charley no fingía. Estaba encantado con reemprender la marcha, y durante unos cuantos días fue un ornamento del viaje.

Illinois dispuso un buen día de otoño para nosotros, fresco y despejado. Avanzábamos rápido hacia el norte, dirigiéndonos a Wisconsin a través de una noble tierra de buenos campos y árboles majestuosos, un país aristocrático, limpio y con vallas blancas y yo diría que subvencionado con ingreso exterior. No me parecía que tuviese el empuje de la tierra que se alimenta a sí misma y alimenta a su propietario. Era más bien como una mujer hermosa que exige el apoyo y la ayuda de muchos seres anónimos sólo para seguir. Pero este hecho no la hace menos encantadora... si puedes permitírtela.

Es posible, y hasta probable, que te digan una verdad sobre un sitio, aceptarlo, conocerlo y al mismo tiempo no saber nada de él. Yo no había estado nunca en Wisconsin, pero había oído hablar de él toda mi vida, había comido sus quesos, algunos de ellos tan buenos como los mejores del mundo. Y debo de haber visto fotos. Todo el mundo debe haberlas visto. ¿Por qué estaba entonces tan poco preparado para la belleza de esa región, para su variedad de campo y colina, bosque, lago? Pienso ahora que debí de considerarlo un gran terreno de pastos llano debido a su enorme cantidad de productos lácteos. Nunca conocí un país que cambiase tan deprisa y me encantaron todas las cosas que vi, debido a que no las esperaba. No sé cómo es en otras estaciones; en el verano debe hacer un calor temible y apestoso y en invierno un frío deprimente, pero cuando lo vi por primera y única vez a principios de octubre, el aire estaba empapado de una claridad color manteca, no borrosa sino nítida y clara, de manera que cada árbol alegrado por la escarcha destacaba en solitario, las colinas se alzaban no agrupadas sino solas y aisladas. Había una penetración de la luz en la sustancia sólida de una naturaleza tal que tenía la impresión de ver dentro de ellas, en lo profundo de su interior, y el único sitio en el que he visto también esa luz ha sido Grecia. Recordé entonces que me habían dicho que Wisconsin era un estado precioso, pero eso no me había preparado. Era un día mágico. La tierra rezumaba riqueza, las gordas vacas y los cerdos brillaban contra el verde y, en las propiedades más pequeñas, se veía maíz formando como tiendecitas de campaña, que es como se debe colocar el maíz, y calabazas por todas partes.

No sé si Wisconsin tiene o no un festival de degustación de quesos, pero yo que soy un amante del queso creo que debería haberlo. Había queso por todas partes, centros queseros, cooperativas queseras, puestos y tiendas de quesos, puede que hasta helados de queso. Soy capaz de creer cualquier cosa, desde que vi una serie de carteles anunciando «caramelo de queso suizo». Es triste que no parase a probar el «caramelo de queso suizo». Ahora no puedo convencer a nadie de que existe, de que no me lo inventé yo.

Vi al borde de la carretera un establecimiento muy grande, el mayor distribuidor de conchas marinas del mundo... y esto en Wisconsin, que no ha visto un mar desde tiempos precámbricos. Pero Wisconsin está cargado de sorpresas. Yo había oído hablar de las hondonadas de la región, las Dells, pero no estaba preparado para el extraño país esculpido por la Edad del Hielo, un paisaje exótico y relumbrante de agua y roca tallada, negro y verde. Despertar allí podría hacerle creer a uno que se trata de un sueño de algún otro planeta, pues tiene una cualidad ultraterrena, o también el testimonio grabado de una época en que el mundo era mucho más joven y muy distinto. Colgando a los lados de los cursos de agua de ensueño estaba la basura de nuestra época, los moteles, los puestos de perritos calientes, los mercaderes de lo barato y lo mediocre y charro que tanto les gusta a los turistas estivales, pero esas incrustaciones estaban cerradas y protegidas contra el invierno e, incluso abiertas, dudo que pudiesen deshacer el hechizo de las Dells de Wisconsin.

Paré esa noche en lo alto de una colina, donde había un servicio de estacionamiento para camioneros, pero de un tipo especial. Descansaban allí los gigantescos camiones de ganado y limpiaban allí sus cajas del residuo dejado por sus recientes cargamentos. Había montañas de estiércol y sobre ellas nubes fungiformes de moscas. Charley andaba paseando por allí sonriente y olisqueando en éxtasis como una estadounidense en una perfumería francesa. Me es imposible criticar su gusto. A unas personas les gusta una cosa y a otras otra. Los aromas eran densos y terrestres, pero no repugnantes.

Cuando estaba acabándose ya el día, paseé con Charley entre sus montañas de placer hasta la cima misma y contemplé el vallecito que se extendía abajo. Era una vista turbadora. Pensé que había conducido demasiado y eso me había deformado la visión o me había perturbado el juicio, pues la tierra oscura de abajo parecía moverse y palpitar y respirar. No era agua pero se ondulaba como un líquido negro. Bajé rápidamente por la loma para planchar la distorsión. El suelo del valle estaba alfombrado de pavos, parecía haber millones de ellos, tan densamente agrupados que cubrían la tierra. Fue un gran alivio. Era una reserva para el día de Acción de Gracias, claro está.

Agruparse así tan juntos es algo natural en los pavos al hacerse de noche. Recuerdo que en el rancho de mi juventud los pavos se juntaban y posaban en coágulos en los cipreses, fuera del alcance de gatos monteses y coyotes, el único indicio que conozco de que los pavos tengan alguna inteligencia. Cuando los conoces no los admiras, pues son vanidosos e histéricos. Se reúnen en grupos vulnerables y luego los domina el pánico ante cualquier rumor. Son sensibles a todas las enfermedades de las otras aves, junto con algunas más que han inventado ellos. Parecen pertenecer al tipo maniacodepresivo, gluglutean con barbas rubo-rosas, extienden la cola y rozan las alas en bravatas amorosas en un momento y se encogen en medrosa cobardía al momento siguiente. Cuesta creer que estén emparentados con sus primos salvajes, listos y recelosos. Pero allí había agrupados miles de ellos alfombrando la tierra, esperando a yacer tumbados panza arriba en las fuentes del país.

Sé que era una vergüenza que no hubiese visto nunca las nobles ciudades gemelas de St. Paul y Minneápolis, pero cuánta mayor desgracia es aún el que todavía no las haya visto, a pesar de haber pasado por ellas. Cuando me aproximaba, me envolvió una gran marea de tráfico, olas de rancheras, turbulentas oleadas de rugientes camiones. Me pregunté por qué será que cuando planeo una ruta demasiado meticulosamente se hace pedazos, mientras que si voy dando tumbos en beatífica ignorancia siguiendo una supuesta dirección consigo salir adelante sin ningún problema. Por la mañana temprano había estudiado los mapas y dibujado una línea meticulosa marcando la ruta que quería seguir. Aún tengo ese plan arrogante: entrar en St. Paul por la carretera nacional 10, luego cruzar tranquilamente el Misisipí. La curva en S del Misisipí me proporcionaría tres cruces del río. Tras esta agradable excursión tenía previsto cruzar Golden Valley, atraído por su nombre. Eso parece bastante sencillo, y tal vez otro lo pueda hacer, pero yo no.

Primero el tráfico me golpeó como un maremoto y me arrastró, un pedacito de pecio reluciente bloqueado por delante por un camión de gasolina de media manzana de longitud. Detrás de mí iba una mezcladora de cemento sobre ruedas enormes, su gran obús giraba mientras avanzaba. A mi derecha iba lo que me parecía un cañón atómico. Me dominó el pánico como siempre y me perdí. Me desvié hacia la derecha como un nadador agotado y entré por una calle sólo para que me parase un policía, que me comunicó que a camiones y bichos similares no les estaba permitido entrar allí. Me empujó de nuevo hacia la corriente enloquecida.

Conduje muchas horas, incapaz de apartar la vista de los mamuts que me rodeaban. Debí de cruzar el río pero no pude verlo. No lo vi en ningún momento. No vi tampoco St. Paul ni Minneápolis. Lo único que vi fue un río de camiones; lo único que oí fue un rugir de motores. El aire saturado de humos de motores diesel me ardía en los pulmones. Charley tuvo un ataque de tos y yo no pude disponer de un momento siquiera para darle una palmada en la espalda. En una luz roja vi que estaba en una Ruta de Evacuación. Tardé un rato en asimilar esto. Me daba vueltas la cabeza. Había perdido todo sentido de la orientación. Pero los letreros («Ruta de Evacuación») continuaron. Se trata, claro, de la ruta de escape prevista de la bomba que aún no han tirado. Allí en el medio del Medio Oeste una ruta de escape, una carretera construida por el miedo. Podía verlo mentalmente porque he visto gente escapando: las carreteras atascadas hasta la inmovilidad y la estampida por el acantilado construido por nosotros mismos. Y de pronto pensé en aquel valle de los pavos y me pregunté cómo podía tener el valor de considerar estúpidos a los pavos. En realidad tienen una ventaja sobre nosotros. Son buenos para comer.

Casi cuatro horas me llevó atravesar las Ciudades Gemelas. He oído decir que algunas partes de ellas son bonitas. Y no encontré nunca el Golden Valley. Charley no me prestó ninguna ayuda. No quería saber nada de una raza que era capaz de construir una cosa de la que tenía que escapar. No quería ir a la Luna sólo para escapar de todo. Enfrentado con nuestras estupideces, Charley las acepta como lo que son: estupideces.

En algún momento de aquellas horas manicomiales debí de cruzar el río otra vez porque había vuelto a la carretera nacional 10 e iba en dirección norte por la orilla oriental del Misisipí. Se despejó el panorama y paré en un restaurante de carretera, agotado. Era un restaurante alemán con el surtido completo: salchichas, chucrut y jarras de cerveza colgando en hileras sobre la barra, relumbrantes pero no usadas. Yo era el único cliente a aquella hora del día. La camarera no era ninguna Brunilda sino una cosita delgada y morena, que bien podía ser una muchacha joven y atribulada o una vieja dinámica y vivaz. No pude determinar cuál de las dos cosas. Pedí bratwurst y chucrut y vi claramente al camarero desenvolver una salchicha de un envoltorio de celofán y echarla en agua hirviendo. La cerveza llegó en una lata. El bratwurst era terrible y el chucrut una mescolanza acuosa ofensiva.

—¿Podría ayudarme usted, por favor?—pregunté a la joven y anciana camarera.

—¿Cuál es su problema?

—Creo que estoy un poco perdido.

—¿Qué quiere decir con «perdido»?—dijo ella.

El cocinero se asomó a su ventana y apoyó unos codos desnudos en el mostrador de servicio.

—Quiero ir a Sauk Centre y no parece que esté yendo hacia allí.

—¿De dónde viene usted?

—De Minneápolis.

—¿Qué está haciendo entonces de este lado del río?

—Bueno, parece que me he perdido también en Minneápolis.

Ella miró al cocinero.

—Se perdió en Minneápolis—dijo.

—Nadie se puede perder en Minneápolis—dijo el cocinero—. Yo nací allí y lo sé.

—Yo soy de St. Cloud—dijo la camarera—y no puedo perderme en Minneápolis.

—Supongo que he aportado a ello un talento nuevo. Pero quiero llegar a Sauk Centre.

—Si es capaz de seguir por la carretera es imposible que se pierda—dijo el cocinero—. Está usted en la cincuenta y dos. Cruce a St. Cloud y siga por la cincuenta y dos.

—¿Está Sauk Centre en la cincuenta y dos?

—No hay ningún sitio más. Tiene que ser usted forastero aquí, para perderse en Minneápolis. Yo no podría perderme ni con los ojos vendados.

—¿Podría perderse usted en Albany o en San Francisco?—dije con cierta irritación.

—No he estado nunca allí, pero apuesto a que no me perdería.

—Yo he estado en Duluth—dijo la camarera—. Y en Navidad iré a Sioux Falls. Tengo una tía allí.

—¿No tiene usted parientes en Sauk Centre?—preguntó el camarero.

—Claro, pero eso no queda tan lejos... como habla de San Francisco. Mi hermano está en la Marina. En San Diego. ¿Tiene usted parientes en Sauk Centre?

—No, sólo quiero verlo. De allí es de donde procede Sinclair Lewis.

—¡Oh! Tienen un cartel. Supongo que viene a verlo bastante gente. Es bueno para la ciudad.

—Fue el primer hombre que me habló de esta parte del país.

—¿Quién?

—Sinclair Lewis.

—¡Oh! Sí. ¿Le conoce usted?

—No, sólo lo leí.

Estoy seguro de que iba a decir «¿A quién?» pero la paré.

—¿Dice que cruce a St. Cloud y siga por la cincuenta y dos?

—No creo que como se llame esté ya allí.

—Lo sé. Está muerto.

—No me diga.

Había ciertamente un letrero en Sauk Centre: «Ciudad natal de Sinclair Lewis».

Pasé deprisa por allí, no sé por qué razón, y giré hacia el norte en la 71 hacia Wadena y oscureció y continué hasta Detroit Lakes. Había un rostro ante mí, un rostro flaco y arrugado como una manzana que ha estado demasiado tiempo en el barril, un rostro solitario y enfermo de soledad.

No le conocí bien, no le conocía en los tiempos tempestuosos en que le llamaban Red. Hacia el final de su vida me llamó varias veces en Nueva York y comimos en el Algonquin. Yo le llamaba señor Lewis... aún lo hago mentalmente. No bebía ya y no disfrutaba nada de la comida, pero de vez en cuando brillaba el acero en sus ojos.

Yo había leído *Calle Mayor* cuando estaba en el instituto y recuerdo el odio violento que despertó en su región natal.

¿Regresó?

Sólo pasó de vez en cuando por allí. El único escritor bueno es el escritor muerto. Entonces no podía sorprender ya a nadie, no podía ofender ya a nadie. Y la última vez que le vi parecía haberse arrugado aún más.

—Tengo frío—dijo—. Parece que siempre lo tengo. Me voy a ir a Italia.

Y lo hizo, y murió allí y no sé si es verdad o no pero he oído decir que murió solo. Y ahora es bueno para la ciudad. Trae algún turista. Ahora es un buen escritor.

Si hubiese habido sitio en Rocinante habría cargado las

guías del país de la Works Progress Administration, todos los cuarenta y ocho volúmenes. Los tengo todos, y algunos son ejemplares muy raros. Si no recuerdo mal, de Dakota del Norte se imprimieron sólo ochocientos ejemplares y de Dakota del Sur unos quinientos. La colección completa constituye la crónica más exahustiva de los Estados Unidos que se haya escrito jamás, y nada se le ha aproximado siquiera desde entonces. La escribieron durante la Depresión los mejores escritores del país, que estaban, si eso fuese posible, más deprimidos que cualquier otro grupo, conservando al mismo tiempo su instinto inalienable de comer. Pero la oposición al señor Roosevelt detestaba esos libros. Si los trabajadores de la W.P.A. se apoyaban en las palas, los escritores se apoyaban en sus plumas. El resultado fue que en algunos estados rompieron las planchas después de imprimir unos cuantos ejemplares y eso es una vergüenza porque eran depósitos de información organizada, documentada y bien escrita, geológica, histórica y económica. Si hubiese traído mis guías habría buscado, por ejemplo, Detroit Lakes, Minnesota, donde paré, y habría sabido por qué se llama Detroit Lakes, quién la bautizó, cuándo y por qué. Paré cerca de allí de noche, tarde, lo mismo que hizo Charley, y no sé sobre el lugar más de lo que sabe él.

Al día siguiente habría de florecer y fructificar una ambición cultivada desde hacía mucho.

Es curioso que un lugar no visitado pueda fijarse tanto en el pensamiento que sólo el nombre despierte algo en ti. Un lugar con el que a mí me pasa eso es Fargo, Dakota del Norte. Puede que el primer impacto fuese el nombre Wells-Fargo, pero desde luego mi interés va más allá de eso. Si cogéis un mapa de los Estados Unidos y lo dobláis por medio, el borde occidental contra el oriental, y apretáis bien por el doblez, justo en ese doblez estará Fargo. En los mapas de doble página hay veces que se pierde en el doblez. Tal vez no sea un método muy científico para hallar el punto medio este-oeste del país, pero servirá. Ahora bien, aparte de eso, Fargo es para mí una hermana de los lugares fabulosos de la Tierra, está emparentada con aquellos lugares mágicamente remotos mencionados por Herodoto y Marco Polo y Mandeville. Desde mis recuerdos más antiguos, si un día hacía frío, Fargo era el lugar más frío del continente. Si el tema era el calor, entonces en esa época los periódicos citaban Fargo como el lugar donde hacía más calor que en ningún otro, o el sitio donde llovía más o el más seco o el más cubierto de nieve. Ésa es mi impresión, al menos. Pero sé que una docena o medio centenar de ciudades se alzarán para afirmar con cólera ofendida y reclamaciones y cifras que tienen un tiempo mucho más horroroso que Fargo. Les pido disculpas por adelantado. Como consuelo para los sentimientos heridos, debo confesar que cuando pasé a través de Moorhead, Minnesota, y crucé traqueteando el río Red para entrar en Fargo, que está en la otra orilla, era un día espléndido de otoño y la ciudad estaba tan atribulada por el tráfico, ebria de neón, atestada y ajetreada por la actividad como cualquier otra ciudad de cuarenta y seis mil almas con futuro. El campo no era distinto de la Minnesota de la otra orilla del río. Crucé la ciudad como siempre, viendo poco más que el camión que iba delante de mí y el Thunderbird del espejo retrovisor. Está mal que le destruyan a uno así su mito. ¿Habrían sufrido la misma suerte Samarcanda o Catay o Cipango al visitarlos? En cuanto salí de los arrabales, del anillo exterior de metal y cristal rotos, y pasé Mapleton, encontré un sitio agradable para parar en el río Maple, cerca de Alice... qué nombre maravilloso para una población, Alice. Tenía 162 habitantes en 1950 y 124 en el último censo... y eso es todo sobre la explosión demográfica en Alice. Lo cierto es que en el río Maple me metí en un bosquecillo, creo que de sicómoros, que había a la orilla y me paré a lamer mis mitológicas heridas. Y descubrí con alegría que lo sucedido con Fargo no había modificado en absoluto mi imagen de ella. Aún podía pensar en Fargo como lo había hecho siempre: golpeada por la ventisca, aplastada por el calor, pintarrajeada por el polvo. Tengo la satisfacción de informar que en la guerra entre realidad y ficción, la realidad no es la más fuerte.

No era más que media mañana, pero me preparé una comida suntuosa, aunque no recuerdo lo que fue. Y Charley, que aún tenía vestigios de su acicalamiento de Chicago, se metió en el agua y volvió a recuperar su viejo yo sucio.

Después de la comodidad y la compañía de Chicago yo había tenido que aprender otra vez a estar solo. Lleva un tiempo. Pero allí en el río Maple, no lejos de Alice, estaba volviendo a recuperar el don. Charley me había perdonado de un modo asquerosamente prepotente, pero por entonces había vuelto a sus actividades de siempre. El lugar de parada junto al agua era agradable. Saqué mi «cubo-de-basura-lavadora» y aclaré las prendas que habían estado zarandeándose en detergente durante dos días. Y luego, como soplaba una agradable brisa, extendí las sábanas a secar sobre unos matorrales bajos. No sé qué clase de matorrales eran, pero las hojas tenían un olor intenso como de madera de sándalo, y no hay cosa que me guste más que unas sábanas perfumadas. Tomé notas en una hoja de papel amarillo sobre la naturaleza y el carácter de lo de estar solo. Estas notas se habrían perdido en el curso habitual de los acontecimientos, como se pierden siempre las notas, pero ésas concretas aparecieron mucho después envolviendo una botella de ketchup y aseguradas con una goma. La primera nota dice: «Relación Tiempo con Soledad». Y me acuerdo de eso. Tener un acompañante te fija en el tiempo y concretamente en el presente, pero cuando el carácter de la soledad se asienta, pasado, presente y futuro fluyen todos juntos. Un recuerdo, un acontecimiento del presente y una previsión están todos igual de presentes.

La segunda nota yace oscuramente debajo de una mancha de ketchup, o catsup, pero la tercera es electrizante. Dice: «Reversión a base placer-dolor», y esto es de una observación de otra vez.

Hace años tuve cierta experiencia relacionada con lo de estar solo. Durante dos años consecutivos estuve solo en el invierno ocho meses seguidos en las montañas de Sierra Nevada, en el lago Tahoe. Estaba encargado de cuidar una finca de verano durante los meses de invierno cuando estaba nevada. Hice entonces algunas observaciones. Con el transcurso del tiempo descubrí que mis reacciones se densificaban. Soy normalmente un silbador. Dejé de silbar. Dejé de conversar con mis perros, y creo que las sutilezas de sentimiento empezaron a desaparecer hasta que me hallé por último en una base de placer y dolor. Pensé entonces que los matices delicados de sentimiento, de reacción, son resultado de la comunicación y que sin esa comunicación tienden a desaparecer. Un hombre que no tiene nada que decir no tiene palabras. ¿Puede ser cierto lo contrario, que un hombre que no tiene nadie a quien decir algo no tiene palabras porque no tiene necesidad de palabras? De vez en cuando aparecen noticias de niños de pecho criados por animales... lobos y animales por el estilo. Normalmente se explica que el pequeño anda a cuatro patas, emite los sonidos que aprendió de sus padres adoptivos y es posible incluso que piense como un lobo. Sólo a través de la imitación nos desarrollamos hacia la originalidad. Pensemos en Charley, por ejemplo. Se ha relacionado siempre con los cultos, los distinguidos, los literatos y la gente razonable, tanto en Francia como en este país. Y Charley se parece más a un perro que a un gato. Tiene unas percepciones agudas y delicadas y sabe leer el pensamiento. No sé si puede leer el pensamiento de otros perros, pero puede leer el mío. Antes de que un plan esté medio formado en mi mente, Charley sabe de él, y sabe también si va a estar incluido en él. No hay duda alguna a ese respecto. Conozco demasiado bien su mirada de desesperación y desaprobación cuando acabo de pensar que él debe quedarse en casa. Y baste con esto por lo que se refiere a las tres notas que estaban debajo de la mancha roja de la botella de ketchup.

Charley no tardó en desplazarse río abajo y en encontrar unas bolsas de basura que había allí tiradas, que se puso a examinar discriminatoriamente. Olfateó una lata de alubias vacía, olisqueó por donde estaba abierta y la rechazó. Luego alzó la bolsa de papel con los dientes y la sacudió un poco para que salieran más tesoros, entre ellos una bola de papel blanco grueso.

Extendí aquel papel y alisé las rebeldes arrugas de su superficie. Era una orden judicial dirigida a Jack Tal y Tal, informándole de que si no pagaba los atrasos de la pensión de alimentos de su esposa incurriría en desacato punible. El juez era de un estado del Este, y aquello era Dakota del Norte. Algún pobre tipo que estaba huyendo. No debería haber dejado aquella pista, podría estar buscándole alguien. Encendí mi mechero Zippo y quemé la prueba con plena conciencia de que agravaba el desacato. ¡Las huellas que dejamos, Dios santo! Supongamos que alguien encontrase la botella de ketchup e intentase reconstruirme a partir de las notas. Ayudé a Charley a revisar la basura, pero no había más material escrito, sólo los envases de los alimentos preparados. Aquel hombre no era un gran cocinero. Se alimentaba de latas, pero a lo mejor su antigua esposa también lo hacía.

Pasaba muy poco del mediodía pero estaba tan tranquilo y tan cómodo que no me apetecía nada seguir viaje.

—¿Deberíamos quedarnos a pasar la noche aquí, Charley?

Charley me inspeccionó y movió el rabo lo mismo que un profesor mueve un lápiz: una vez a la izquierda, una vez a la derecha y vuelta al centro. Me senté en la orilla, me quité las botas y los calcetines y sumergí los pies en un agua tan fría que quemaba, hasta que penetró la gelidez del todo y amortiguó la sensación. Mi madre creía que el agua fría en los pies hacía subir la sangre a la cabeza, de manera que pensabas mejor.

—Hora de examen, *mon vieux Chamal*—dije en voz alta—, que es otro modo de decir que me siento cómodamente perezoso. Emprendí este viaje para intentar aprender algo de este país. ¿Estoy aprendiendo algo? Si lo estoy, no sé lo que es. ¿Puedo volver en este momento con una bolsa llena de conclusiones, un conjunto de respuestas a enigmas? Lo dudo, pero quizás. Cuando vaya a Europa, cuando me pregunten cómo es mi país, ¿qué diré? No sé. Bueno, utilizando ese método olfativo de investigación tuyo, ¿qué has aprendido tú, mi buen amigo?

Dos meneos completos. Por lo menos no dejó la pregunta colgando en el aire.

—¿Huele este país todo igual hasta el momento? ¿O hay olores sectoriales?

Charley empezó a girar y girar hacia la izquierda, y luego invirtió la dirección y giró ocho veces hacia la derecha, hasta que por último se paró, metió la nariz entre las patas y puso la cabeza al alcance de mi mano. Le cuesta trabajo tumbarse. Cuando era pequeño le atropelló un coche y le rompió la cadera. Estuvo escayolado mucho tiempo. Ahora, en su edad provecta, le molesta la cadera cuando está cansado. Después de una marcha demasiado larga cojea de la pata derecha de atrás. Pero debido a ese giro prolongado que tiene que hacer para tumbarse le llamamos a veces el caniche giratorio... una actitud vergonzosa por nuestra parte. Si la regla de mi madre era correcta, yo estaba pensando muy bien. Aunque ella decía también: «Pies fríos... corazón caliente». Y eso es una cosa muy distinta.

Había aparcado bastante lejos de la carretera y de cualquier tráfico para mi periodo de descanso y recuento. Soy serio en esto. No dejé a un lado mi pereza por unas cuantas anécdotas entretenidas. Vine con el deseo de saber cómo es el país. Y no estaba seguro de que estuviese enterándome de nada. Me di cuenta de que estaba hablando para Charley. A él le gusta la idea, pero la materialización práctica le da sueño.

—Sólo por probar, intentemos un poco de eso que mis hijos llamarían el rollo de la generalidad. Bajo títulos y subtítulos. Consideremos la comida tal como la hemos encontrado. Es más que posible que en las ciudades por las que hemos pasado, agobiados por el tráfico, hubiese buenos y distinguidos restaurantes con menús de ensueño. Pero en los sitios para comer que encontramos en las carreteras la comida era limpia, insípida, incolora y de una similitud absoluta. Es casi como si los clientes no tuviesen ningún interés por lo que comen siempre que no tenga ningún carácter que los perturbe. Esto es aplicable a todo salvo a los desayunos, que son uniformemente maravillosos si te atienes al tocino y los huevos y las patatas fritas. La verdad es que no tuve en todo el trayecto ni una comida realmente buena ni un desayuno realmente malo. El tocino o la salchicha eran buenos y estaban empaquetados en fábrica, los huevos eran frescos o los habían mantenido frescos por refrigeración y la refrigeración era universal.

Podría decir incluso que las carreteras son en este país el paraíso del desayuno salvo por una cosa. De vez en cuando veía un letrero que decía «salchicha casera» o «jamón y tocino ahumado en casa» o «huevos recién puestos» y paraba y compraba suministros. Luego, al prepararme yo el desayuno y el café, descubría que la diferencia era visible instantáneamente. Un huevo recién puesto no sabe ni remotamente como el pálido y mantecoso huevo refrigerado. La salchicha era dulce y picante y se notaba el sabor acre de las especias y el café era una felicidad oscura como vino tinto. ¿Puedo decir que el país que vi ha puesto en primer lugar la limpieza, a expensas del sabor? Y, dado que todos nuestros centros nerviosos perceptivos, incluidos los del gusto, son no sólo perfectibles sino también susceptibles de trauma, ¿puedo decir también que el sentido del gusto tiende a desaparecer y que los aromas fuertes, acres o exóticos despiertan recelo y rechazo y que se eliminan por eso?

—Adentrémonos un poco más allá en otros campos, Charley. Consideremos los libros, revistas y periódicos que hemos visto expuestos en los sitios donde hemos parado. La publicación dominante ha sido el tebeo. Hemos visto periódicos locales y los hemos comprado y leído. Hemos visto estantes de libros de bolsillo con algunos grandes y buenos títulos, pero los superaban en número abrumadoramente los libros de sexualidad, sadismo y homicidio. Los periódicos de la gran ciudad proyectan sus sombras sobre grandes zonas de su entorno, el *New York Times* llega hasta los Grandes Lagos, el *Chicago Tribune* hasta aquí, hasta Dakota del Norte. Escucha, Charley, te aviso, por si te atrajeran las generalidades. Si este pueblo ha atrofiado sus papilas gustativas hasta el punto de que la comida insípida le resulte no sólo aceptable sino deseable, ¿qué decir de la vida emotiva de la nación? ¿Les resulta tan soso su menú emotivo que hay que animarlo con sexualidad y sadismo por intermedio de las novelas? Y si es así, ¿por qué no tienen más condimentos que ketchup y mostaza para animar sus comidas?

—Hemos escuchado la radio local en todo el país. Y aparte de unos cuantos informes de partidos de fútbol americano, el menú mental ha sido tan generalizado, tan empaquetado y tan indiferenciado como la comida.

Zarandeé a Charley con el pie para que no se durmiera.

Había procurado enterarme de lo que pensaba la gente políticamente. La gente que había encontrado no hablaba sobre el tema, no parecía querer hablar de eso. Me dio la impresión de que era en parte recelo y en parte falta de interés, pero no se habían expuesto opiniones fuertes. Un tendero me confesó que tenía que trabajar con los dos bandos y que no podía permitirse el lujo de una opinión. Era un hombre gris de una tiendecita gris, de un cruce de carreteras donde paré a comprar una caja de galletas de perro y una lata de tabaco de pipa. Ese hombre, esa tienda, podrían haber estado en cualquier parte del país, pero lo cierto es que estaban en Minnesota. El hombre tenía una especie de centelleo gris y nostálgico en la mirada, como si recordase el sentido del humor cuando no era contrario a la ley, así que me atreví a aventurarme.

—Parece como si se hubiese perdido ese gusto natural de la gente por discutir. Pero yo no lo creo. Tiene que desviarse por otro canal. ¿Qué canal cree usted que podría ser?

—¿Quiere decir usted por dónde desahogarán?

—¿Por dónde desahogarán?

No me equivocaba, el centelleo estaba allí, el precioso centelleo irónico.

—Bueno, señor—dijo—, tenemos un asesinato de cuando en cuando, o podemos leer sobre ellos. Luego tenemos las Series Mundiales. Se puede animar la cosa en cualquier momento a base de los Pirates o los Yankees, pero creo que lo mejor de todo es que tenemos a los rusos.

—¿Hay sentimientos muy fuertes sobre eso?

—¡Por supuesto! No pasa un día sin que alguien les dé una zurra a los rusos.

Se empezaba a sentir un poco más cómodo por alguna razón, se permitió incluso una risilla que podría haberse convertido en un carraspeo si hubiese visto en mí una reacción negativa.

—¿Conoce alguien de por aquí a algún ruso?—pregunté.

Y entonces se abrió del todo y se rió.

—Por supuesto que no. Por eso es por lo que son tan valiosos. Nadie te puede decir nada si te metes con los rusos.

—¿Porque no estamos trabajando con ellos?

Cogió un cuchillo de partir queso del mostrador y pasó cuidadosamente el pulgar por el filo y luego lo posó.

—Tal vez sea eso. Demonios, puede que sí. No estamos trabajando con ellos.

—Piensa usted entonces que podríamos estar usando a los rusos como sustituto de una cosa distinta, de otras cosas.

—No lo pensaba ni mucho menos, señor, pero apuesto que a partir de ahora lo pensaré. Verá, me acuerdo cuando la gente le echaba la culpa de todo al señor Roosevelt. Andy Larsen se puso rojo una vez hablando contra Roosevelt cuando sus gallinas cogieron la peste aviar. Sí señor—añadió con creciente entusiasmo—, esos rusos tienen mucho con lo que cargar. Un hombre se pelea con su mujer, les atiza a los rusos.

—Quizá todo el mundo necesite rusos. Apuesto a que

hasta en Rusia necesitan rusos. Tal vez les llamen americanos.

Cortó una loncha de queso de una rueda y me la ofreció en la hoja del cuchillo.

—Me ha dado usted una cosa en la que pensar de una forma indirecta.

—Yo creí que me la había dado usted a mí.

—¿Sobre qué?

—Sobre el trabajo y las opiniones.

—Bueno, tal vez sea así. ¿Sabe lo que voy a hacer? La próxima vez que a Andy Larsen se le ponga la cara roja, miraré si los rusos están fastidiando a sus gallinas. Fue una gran pérdida para Andy cuando el señor Roosevelt murió.

Bueno, no es que quiera decir que haya muchísima gente que tenga el mismo sentido de las cosas que este hombre. Tal vez no, pero a lo mejor sí... también en su intimidad o en áreas no relacionadas con el trabajo.

Charley alzó la cabeza y rugió una advertencia sin molestarse en levantarse. Luego oí que se aproximaba un motor y al intentar ponerme de pie descubrí que hacía mucho que se me habían dormido los pies en el agua fría. No podía sentirlos siquiera. Mientras los frotaba y masajeaba y despertaban con aguijonazos y pinchazos dolorosos, bajó dando tumbos de la carretera un veterano sedán que arrastraba un corto remolque y tomó posición a la orilla del río a unos cincuenta metros de distancia. Me irritó aquella invasión de mi intimidad, pero Charley estaba encantado. Se desplazó sobre las patas agarrotadas con pasitos menudos y delicados a investigar al recién llegado y, como suelen hacer los perros y la gente, sin mirar directamente al objeto de su interés. Si parece que estoy ridiculizando a Charley, considerad lo que estuve haciendo yo en la media hora siguiente y también lo que estuvo haciendo mi vecino. Nos concentramos los dos cada uno en sus asuntos, con mucha parsimonia, procurando ambos no mirar al otro directamente y lanzando al mismo tiempo miradas de reojo, captando detalles, valorando. Veía a un hombre, ni joven ni viejo, pero con un paso ágil y garboso. Vestía pantalones caquis y chaqueta de cuero y llevaba un sombrero vaquero pero con la copa plana y el ala curvada hacia arriba y sostenida por la correa. Tenía un perfil clásico y pude ver, incluso a aquella distancia, que llevaba una barba que se juntaba con las patillas y se continuaba por tanto con el cabello. Mi propia barba se halla reducida a la barbilla. Se había levantado frío de pronto. Y no sé si tenía la cabeza fría o si no quería estar con la cabeza descubierta en presencia de un desconocido. El caso es que me puse mi vieja gorra de marino, preparé café y me senté en las escaleras de atrás dedicándome a mirar con gran interés todo excepto a mi vecino, que barrió su remolque y vació una palangana de agua jabonosa procurando siempre no mirarme. Varios gruñidos y ladridos procedentes del interior del remolque captaron y retuvieron el interés de Charley.

Todos deben tener un sentido del momento oportuno correcto y apropiado, pues cuando yo acababa de decidir hablar con mi vecino, de hecho acababa de levantarme para encaminarme hacia él, se encaminó él hacia mí. También él había percibido que había terminado el periodo de espera. Avanzaba con un paso extraño que me recordaba algo que no podía emplazar. Había una majestuosidad cutre en aquel hombre. En la época del mito caballeresco habría sido el mendigo que resulta ser hijo de un rey. Cuando estaba cerca ya, me levanté de mi escalera de hierro de atrás para recibirle.

No hizo una inclinación teatral, pero tuve la impresión de que podría haberla hecho... eso o un saludo militar en regla.

—Buenas tardes—dijo—. Veo que es usted de la farándula.

Supongo que me quedé boquiabierto. Hacía años que no oía el término.

—Bueno, no. No, no lo soy.

Le tocó a él entonces parecer desconcertado.

—¿No? Pero... mi querido amigo, si no lo es usted, ¿cómo conoce la expresión?

—Supongo que he estado en los márgenes.

—¡Ah! Los márgenes. Claro. Entre bastidores sin duda... ¿dirección, director de escena?

—Fracasos—dije yo—. ¿Le gustaría tomar un café?

—Encantado.

Nunca te fallaba. Eso es una cosa buena de los de la profesión: raras veces lo hacen. Se encogió en el asiento del diván detrás de mi mesa con una gracia que yo no conseguí nunca en todo mi viaje. Y puse dos tazas de plástico y dos vasos, serví café y coloqué la botella de whisky donde pudiese cogerse con facilidad. Me pareció que asomaba a sus ojos una niebla de lágrimas, pero podría ser que estuviese en los míos.

—Fracasos—dijo—. Quien no los ha conocido es que no ha trabajado en el teatro.

—¿Le sirvo a usted?

—Sí, por favor... no, sin agua.

Se limpió el paladar con café negro y luego saboreó el whisky delicadamente, mientras recorría con la vista mi morada.

—Tiene usted un sitio muy bonito aquí, muy bonito.

—Dígame, por favor, ¿qué le hizo pensar que yo estaba en la farándula?

Rió secamente.

—Muy simple, Watson. He interpretado eso, sabe. Los dos papeles. Bueno, primero vi su caniche, y luego me fijé en su barba. Luego, al acercarme, vi que llevaba usted una gorra de la Marina británica.

—¿Fue eso lo que ensanchó sus *as*?

—Eso podría ser, viejo camarada. Eso podría ser sin duda. Yo caigo en esas cosas, casi sin darme cuenta de que lo hago.

Entonces, de cerca ya, vi que no era joven. Sus movimientos eran juventud pura pero había algo en la textura de su piel y en los bordes de los labios que indicaba edad madura o más. Y los ojos, grandes y cálidos iris castaños asentados en blancos que se estaban volviendo amarillos, corroboraban eso.

—A su salud—dije.

Vaciamos nuestros vasos de plástico, seguimos con café y volví a llenar.

—Si no es demasiado personal o demasiado doloroso... ¿qué hizo usted en el teatro?

—Escribí un par de obras.

—¿Representadas?

—Sí. Fracasaron.

—¿Conocería su nombre?

—Lo dudo. No soy conocido.

Suspiró.

—Es un trabajo duro. Pero si estás enganchado, estás enganchado. A mí me enganchó mi abuelito y mi papá asentó el gancho.

—¿Actores los dos?

—Y mi madre y mi abuela.

—Señor. Eso *es* de verdad la farándula. ¿Está usted—busqué la vieja expresión—descansando ahora?

—Nada de eso. Estoy trabajando.

—¿En qué, Dios santo, y dónde?

—Siempre que puedo conseguir un público. Escuelas, iglesias, asociaciones. Llevo cultura, hago lecturas. Supongo que puede oír usted a mi socio allí quejándose. Él es muy bueno también. En parte terrier de Airedale y en parte coyote. Se convierte en el protagonista del espectáculo cuando está en vena.

Empecé a sentirme encantado con aquel hombre.

—No sabía que se podía hacer eso.

—No siempre se puede, sólo a veces.

—¿Lleva mucho tiempo haciéndolo?

—Tres años menos dos meses.

—¿Por todo el país?

—Donde quiera que se reúnan dos o tres. Llevaba un año sin trabajar... no hacía más que recorrer las agencias y los anuncios y comerme los beneficios. En mi caso no se plantea siquiera lo de hacer otra cosa. Es lo único que sé... lo único que he aprendido. Había en otros tiempos una comunidad de gente del teatro en la isla de Nantucket. Mi papá compró un bonito solar allí y edificó una casa de madera. Bueno, pues la vendí y compré ese equipo de ahí y he estado viajando desde entonces, y me gusta. No creo que vuelva nunca a lo normal. Por supuesto, si hubiese un papel... pero demonios, ¿quién iba a acordarse de mí para un papel... fuese el que fuese?

—Se acerca usted bastante al blanco en eso.

—Sí, es un trabajo duro.

—Espero que no me considere un entrometido aunque lo sea, me gustaría saber cómo le va. ¿Qué pasa? ¿Cómo le trata la gente?

—Me tratan muy bien. Y nunca sé cómo voy a tener que hacerlo. A veces tengo incluso que alquilar un local y hacer publicidad, a veces hablo con el director del instituto de secundaria.

—¿Pero ya no tiene miedo la gente de los gitanos, los vagabundos y los actores?

—Supongo que lo tienen al principio. Al principio me toman por una especie de chiflado inofensivo. Pero soy honrado y no cobro mucho, y al cabo de un rato el material les absorbe y penetra en ellos. Bueno, yo respeto el material. Ésa es la diferencia. No soy un charlatán, soy un actor... bueno o malo, un actor.

Se le había intensificado el color con el whisky y la vehemencia, y tal vez por el hecho de poder hablar con alguien con una leve sombra de experiencia. Serví más en su vaso esta vez y observé satisfecho cómo le complacía. Bebió y suspiró.

—No tengo algo así muy a menudo—dijo—. Espero no haber dado la impresión de que estoy nadando en oro. A veces es un poco duro.

—Siga con ello. Cuente más.

—¿Dónde estaba?

—Estaba usted diciendo que respetaba su material y que era usted un actor.

—Ah, sí. Bueno, hay una cosa más. Ya sabe usted que cuando la gente del teatro va a lo que ella llama los pueblos, suele sentir desprecio hacia los palurdos. Me llevó un tiempo, pero cuando aprendí que no hay tales palurdos empezó a irme bien. Aprendí a respetar a mi público. Ellos se dan cuenta de eso y trabajan conmigo y no contra mí. En cuanto les respetas, son capaces de entender cualquier cosa que quieras contarles.

—Hábleme de su material. ¿Qué es lo que utiliza?

Bajó la vista hacia las manos y vi que estaban bien cuidadas y que eran muy blancas, como si llevara guantes casi siempre.

—Espero que no piense que ando robando material —dijo—. Admiro la forma de interpretar de sir John Gielgud. Le oí hacer su monólogo de Shakespeare... *Las edades del hombre.* Y luego compré un disco para estudiarlo. ¡Hay que ver lo que es capaz de hacer con las palabras, con los tonos, con las inflexiones!

—¿Utiliza usted eso?

—Sí, pero no lo robo. Explico que oí a sir John, y lo que me impresionó, y luego digo que voy a intentar dar una impresión de cómo lo hacía él.

—Inteligente.

—Bueno, ayuda, porque da autoridad a la representación, y a Shakespeare no hace falta anunciarlo, y de ese modo no estoy robándole el material. Es como si le estuviese haciendo un homenaje, y es así además.

—¿Y cómo responden?

—Bueno, creo que estoy muy familiarizado ya con eso, porque puedo ver cómo penetran las palabras, y se olvidan de mí y es como si se les volvieran los ojos hacia dentro y ya no soy para ellos un chiflado. Bueno... ¿qué le parece?

—Me parece que a Gielgud le gustaría.

—¡Oh! Le escribí y le conté lo que estaba haciendo y cómo estaba haciéndolo, una larga carta.

Sacó una abultada cartera del bolsillo de atrás y extrajo un trozo de papel de aluminio cuidadosamente doblado, lo abrió y desplegó con dedos cuidadosos una hojita de papel de carta con el nombre grabado arriba. El mensaje estaba mecanografiado. Decía: «Querido...: Gracias por su amable e interesante carta. No sería un actor si no me diese cuenta del halago sincero que entraña su trabajo. Buena suerte y que Dios le bendiga. John Gielgud».

Suspiré y observé cómo sus dedos reverentes doblaban la nota y la encerraban en su armadura de papel de aluminio y la guardaban.

—Nunca se la he enseñado a nadie para conseguir una actuación—dijo—. No se me ocurriría siquiera pensar en hacer eso.

Y estoy seguro de que era así.

Hizo girar su vaso de plástico en la mano y miró el poso que quedaba en él, un gesto que suele estar destinado a atraer la atención de un anfitrión hacia el hecho de que el vaso se ha quedado vacío. Descorché la botella.

—No—dijo—. Yo no quiero más. Aprendí hace mucho que la más importante y valiosa de las técnicas de interpretación es la salida.

—Pero me gustaría preguntarle más cosas.

—Mayor motivo aún para que me vaya.

Apuró las últimas gotas.

—Déjales preguntándose—dijo—, y sal limpia y decididamente. Gracias y buenas tardes.

Vi que se bamboleaba un poco mientras caminaba hacia su remolque y supe que me obsesionaría una pregunta. Grité:

—Un momento.

Se detuvo y se volvió hacia mí.

—¿Qué hace el perro?

—Oh, un par de trucos tontos—dijo—. Mantiene la representación a un nivel sencillo. Interviene cuando se anquilosa.

Y continuó caminando hacia su casa.

Así que seguía... una profesión más antigua que escribir y que probablemente sobreviva cuando haya desaparecido el mundo de la escritura. Y todas las maravillas estériles de las películas y la televisión y la radio no podrán acabar con ella... un hombre vivo en comunicación viva con un público vivo. ¿Pero cómo vivía? ¿Quiénes eran sus compañeros? ¿Cuál era su vida oculta? Él tenía razón. Su salida estimulaba las preguntas.

La noche estaba cargada de presagios. Un cielo afligido convertía la poca agua en un metal peligroso y luego se levantó el viento... no el viento racheado y conejil de los litorales que yo conozco sino un gran barrido impetuoso de viento sin nada que lo inhibiese en un millar de kilómetros a la redonda. Como era un viento extraño para mí, y en consecuencia misterioso, despertó en mí reacciones misteriosas. Desde el punto de vista racional era extraño sólo porque me resultaba extraño a mí. Pero una buena parte de la propia experiencia que nos resulta inexplicable debe de ser así. Estoy absolutamente seguro de que mucha gente oculta experiencias por miedo al ridículo. ¿Cuántas personas han visto u oído o sentido algo que ofendió tanto su idea de lo que debería ser que barrieron rápidamente todo el asunto como polvo debajo de una alfombra?

En cuanto a mí, procuro mantener una línea abierta hasta cuando se trata de cosas que no puedo entender ni explicar, pero es difícil en estos tiempos timoratos. En aquel momento en Dakota del Norte sentí una resistencia a seguir conduciendo que equivalía a miedo. Al mismo tiempo, Charley quería seguir... de hecho, causó tal conmoción en su afán de seguir que intenté razonar con él.

—Escúchame, perro. Siento un fuerte impulso de quedarme que equivale a un mandato celestial. Si no atendiese a él y siguiese y cayese sobre nosotros una gran nevada, comprendería que se trataba de un aviso desdeñado. Si nos quedásemos y cayese una gran nevada estaría seguro de que tenía una conexión con lo profético.

Charley estornudó y se paseó inquieto.

—Está bien, *mon cur*, consideremos tu punto de vista sobre el asunto. Tú quieres seguir. Supongamos que lo hacemos, y que por la noche cayese un árbol justo aquí sobre el sitio en donde estamos en este momento. Serías tú el que tendrías la ayuda de los dioses. Y siempre existe la posibilidad de que sea así. Podría contarte muchas historias de animales fieles que salvaron a sus amos, pero creo que sólo estás aburrido y no voy a complacerte.

Charley me miró con la más cínica de todas sus miradas. Creo que no es ni un romántico ni un místico.

—Sé lo que quieres decir. Si nos fuésemos y no cayese ningún árbol, o nos quedásemos y no nevase... ¿entonces qué? Te diré el qué. Olvidamos todo el episodio y el campo de la profecía se queda como estaba. Yo voto por quedarnos. Tú votas por irnos. Pero al estar más cerca del pináculo de la creación que tú, y ser además el presidente, emito el voto decisorio.

Nos quedamos y no nevó ni nos cayó encima ningún árbol, así que naturalmente olvidamos todo el asunto y estamos completamente abiertos a más sentimientos místicos cuando vengan. Y por la mañana temprano, una mañana sin una nube en el cielo y telescópicamente clara, giramos rechinando sobre la gruesa capa blanca de escarcha y nos pusimos en marcha. La caravana de las artes estaba apagada pero el perro ladró cuando enfilábamos hacia la autopista.

Alguien debe haberme hablado sobre el río Missouri en Bismarck, Dakota del Norte, o debo haber leído sobre ello. Lo cierto es que no había prestado atención. Me quedé asombrado al verlo. Allí es donde debería doblarse el mapa. Allí está la frontera entre Este y Oeste. En el lado de Bismarck es paisaje del Este, hierba del Este, con el aspecto y el olor del este del país. Cruzando el Missouri, en el lado de Mandan, es puro Oeste, con yerba marrón y rastros de agua y pequeños afloramientos. Las dos orillas del río podrían estar perfectamente a un millar de kilómetros de distancia. Y lo mismo que no estaba preparado para la frontera del Missouri, tampoco lo estaba para las Bad Lands. Merecen ese nombre. Son como la obra de un niño malvado. Un sitio así podrían haberlo construido los Ángeles Caídos como algo hecho contra el Cielo, seco y cortante, desolado y peligroso, y para mí lleno de presagios. Transmite una sensación de que no le gustan los humanos o no les da la bienvenida. Pero siendo los humanos lo que son, y siendo yo humano, dejé la carretera nacional por una carretera pizarrosa y me adentré entre los cerros, pero con la misma timidez que si estuviese colándome en una fiesta. La superficie de la carretera castigaba furiosamente mis neumáticos y hacía chillar de angustia a los sobrecargados amortiguadores de Rocinante. Qué lugar para una colonia de trogloditas o mejor de trasgos. Y sucede una cosa extraña. No sólo me sentí rechazado en aquella tierra, sino que siento ahora también una resistencia a escribir sobre ella.

Pronto vi a un hombre apoyado en una valla doble de alambre de espino, el alambre fijado no a postes sino a ramas de árbol retorcidas clavadas en tierra. El hombre llevaba un sombrero oscuro y pantalones vaqueros y un chaquetón de un azul palidísimo de tanto lavarlo, con zonas más claras en rodillas y codos. Sus ojos claros estaban escarchados por el resplandor del sol y tenía unos labios escamosos como piel de serpiente. Había un rifle del 22 apoyado en la valla a su lado y en el suelo un montoncito de piel y plumas: conejos y aves pequeñas. Paré para hablar con él, y vi que sus ojos recorrían a Rocinante, captaban los detalles y luego se retiraban a sus órbitas. Y me encontré con que no tenía nada que decirle. Lo de «Parece que se adelanta el invierno» no parecía adecuado. Así que nos quedamos mirándonos el uno al otro cavilosos.

—¡Buenas tardes!

—Sí señor—dijo él.

—¿Hay algún sitio cerca de aquí en el que pueda comprar unos huevos?

—No muy cerca, a menos que quiera ir usted hasta Galva o subir hasta Beach.

—Quería comprar unos huevos de gallina moteada.

—Empolvada—dijo él—. Mi señora las llama empolvadas.

—¿Hace mucho que vive aquí?

—Sí.

Esperé a que él preguntara algo o a que dijera algo para poder seguir, pero no lo hizo. Y al prolongarse el silencio fue haciéndose cada vez más imposible dar con algo que decir. Hice un intento más.

—¿Hace mucho frío aquí en invierno?

—Bastante.

—Habla usted demasiado.

Sonrió.

—Eso es lo que dice mi señora.

—Adiós—dije y puse el coche en marcha y continué. Y pude ver en el espejo retrovisor que me seguía con la mirada. Puede que no fuese un típico habitante de la región, pero fue uno de los pocos que encontré.

Paré un poco más allá en una casita, parte de un barracón de los excedentes de guerra, o eso parecía, pero pintada de blanco con un ribete amarillo y con los vestigios moribundos de un jardín, geranios abatidos por la helada y unos racimitos de crisantemos, unos botoncitos amarillos de un marrón rojizo. Subí por el camino con la seguridad de que me estaban mirando desde detrás de los visillos blancos de la ventana. Contestó a mi llamada una mujer vieja y me dio el trago de agua que pedí y casi me arrancó el brazo a base de hablar. Estaba hambrienta de hablar, frenética por hablar, de su parentela, sus amistades y de que no estaba acostumbrada a aquello. Pues no era natural del país y no pertenecía en realidad a él. Su país natal era una tierra de leche y miel y con su cuota de monos y marfil y pavos reales. Le vibraba la voz como si la aterrase el silencio que se asentaría cuando me fuese yo. Mientras hablaba me di cuenta de que le daba miedo aquel lugar y, además, de que también me lo daba a mí. Pensé que no me gustaría que me cogiera allí la noche.

Me precipité en una atmósfera de fuga, corriendo para librarme de aquel paisaje ultraterreno. Y luego al final de la tarde cambió todo. Al caer el sol los collados y torrenteras, los cerros y las colinas y gargantas esculpidas perdieron su aspecto quemado y terrible y brillaban con amarillos y marrones intensos y un centenar de variaciones de rojo y gris plata, salpicado todo con vetas de negro carbón. Era tan bello que paré cerca de una espesura de cedros y enebros raquíticos y doblados por el viento, y en cuanto paré me sentí atrapado por el color y aturdido por la claridad de la luz. El horizonte almenado, con el sol poniente atrás, estaba oscuro y limpiamente delineado, mientras que hacia el este, donde la luz sin obstáculos se derramaba en ángulo, el extraño paisaje lanzaba gritos de color. Y la noche, lejos de ser amedrentadora, poseía un encanto increíble, pues las estrellas estaban próximas y, aunque no había luna, sus luces daban al cielo un brillo plateado. El aire cortaba las narices con una helada seca. Y junté por puro placer un montoncito de ramas de cedro secas y encendí una pequeña hoguera sólo por aspirar el perfume de la madera ardiendo y por oír el crepitar emocionado de las ramas. Mi fogata creó una cúpula de luz amarilla sobre mí, y oí cómo cazaba cerca una lechuza y el ladrido de los coyotes, que no aullaban sino que lanzaban el ladrido breve y jocoso de la oscuridad de la luna. Aquél es uno de los pocos lugares que he visto donde la noche era más acogedora que el día. Y puedo entender muy bien por qué la gente vuelve a las Bad Lands.

Antes de dormirme extendí el mapa en la cama, un mapa que estaba todo pisoteado por Charley. Beach no estaba lejos, y eso sería el final de Dakota del Norte. Y luego llegaría Montana, donde no había estado nunca. Esa noche fue tan fría que me puse de pijama mi ropa interior impermeable, y cuando Charley terminó de hacer sus cosas y tomó sus galletas y consumió sus casi cuatro litros de agua habituales y se enroscó por último en su sitio debajo de la cama, saqué una manta extra y le tapé (todo salvo la punta de la nariz), y suspiró y se estremeció y lanzó un gran gruñido de pura satisfacción beatífica. Y pensé en cómo todas las generalidades seguras que espigaba en mis viajes quedaban anuladas por otras. En la noche las Bad Lands, las tierras malas, se habían convertido en Good Lands, en tierras buenas. No puedo explicarlo. Fue así como pasó.

El trayecto siguiente de mi viaje es una aventura amorosa. Estoy enamorado de Montana. Por otros estados siento admiración, respeto, reconocimiento, incluso cierto afecto, pero con Montana es amor, y es difícil analizar el amor cuando estás en él. Una vez, cuando me extasiaba con el resplandor violeta que desprendía la Reina del Mundo, mi padre me preguntó por qué, y yo pensé que estaba loco si no lo veía. Ahora sé, por supuesto, que se trataba de una muchachita de pelo ratonesco, nariz pecosa y rodillas postillosas, con una voz como un murciélago y la amorosa bondad de un monstruo del Gila, pero entonces iluminaba el paisaje y me iluminaba a mí. A mí me parece que Montana es un gran brochazo de majestuosidad. La escala es inmensa pero no aplastante. La tierra es rica en hierba y colorido y las montañas son del tipo de las que haría yo si figurase alguna vez en mi agenda lo de hacer montañas. Montana me parece que es como lo que pensaría un niño pequeño que es Texas por lo que oyese a los tejanos. Allí oí por primera vez un acento claramente regional inmune al lenguaje de la televisión, un habla cálida y de ritmo lento. Me dio la impresión de que en Montana no estaba presente el ajetreo frenético del resto del país. Sus habitantes no parecían temer a las sombras en el sentido de la John Birch Society. La calma de las montañas y las praderas onduladas había penetrado en sus habitantes. Crucé el estado en la estación de la caza. Los hombres con los que hablé me pareció que no se lanzaban a un desmadre de carnicería estacional sino que salían simplemente a matar carne comestible. Puede que mi actitud se deba también al amor, pero me pareció que las ciudades eran lugares para vivir más que colmenas nerviosas. La gente tenía tiempo para hacer una pausa en sus ocupaciones y entregarse al arte efímero de la buena vecindad.

Me di cuenta de que no atravesaba las ciudades a toda prisa para librarme de ellas. Busqué incluso cosas que tenía que comprar para alargar la estancia. En Billings compré un sombrero, en Livingston una chaqueta, en Butte un rifle que no necesitaba especialmente, un Remington del 22 de cerrojo, de segunda mano pero en magnífico estado. Luego encontré una mira telescópica que me pareció absolutamente imprescindible y esperé a que me la instalaran en el rifle, y mientras esperaba llegué a conocer a todos los de la tienda y a los clientes que entraron. Con el arma en un torno y el cerrojo fuera, enfocamos la nueva mira hacia una chimenea situada a tres manzanas de distancia, y luego cuando pude disparar ya el arma no encontré ningún motivo para cambiarla. Pasé buena parte de una mañana en esto, sobre todo porque quería quedarme. Pero veo que el amor no es elocuente, como siempre. Montana ejerce un hechizo sobre mí. Es majestuosa y cálida. Si tuviese costa, o si yo pudiese vivir lejos del mar, me trasladaría inmediatamente allí y solicitaría la admisión. Es de todos los estados del país mi favorito y mi amor.

En Custer nos desviamos un poquito hacia el sur para presentar nuestros respetos al general Custer y a Toro Sentado en el campo de batalla de Little Big Horn. No creo que haya un estadounidense que no lleve en la cabeza el cuadro de Remington de la resistencia final de la columna central del 7º de Caballería. Me quité el sombrero en memoria de unos hombres valientes y Charley saludó a su manera pero me pareció que con mucho respeto.

Todo el este de Montana y el oeste de ambas Dakotas está marcado en el recuerdo como país indio, y los recuerdos no son muy viejos además. Hace unos años tuve por vecino a Charles Erskine Scott Wood, que escribió *Heavenly Discourse.* Era un hombre muy viejo cuando le conocí, pero cuando era un joven teniente recién salido de la academia militar le habían destinado con el general Miles y había participado en la campaña del Jefe José. Su recuerdo de ella era muy claro y muy triste. Decía que había sido una de las retiradas más gallardas de toda la historia. Jefe José y los *nez percés* con las mujeres y los niños, los perros y todas sus pertenencias, retrocedieron soportando un fuego intenso durante unos mil seiscientos kilómetros, intentando escapar al Canadá. Wood decía que habían disputado cada paso del camino en condiciones muy desiguales hasta que finalmente les había rodeado la caballería del general Miles y la mayor parte de ellos habían sido exterminados. Wood dijo que había sido el servicio más triste que había tenido que prestar en toda su vida y que nunca había perdido el respeto a las cualidades militares de los *nez percés.* «Si no hubiesen tenido con ellos a sus familias nunca podríamos haberles atrapado—dijo—. Y si hubiesen estado equiparados a nosotros en número de hombres y en armamento, no podríamos haberles derrotado. Eran hombres—añadió—. Hombres de verdad».

Debo confesar mi laxitud en la cuestión de los Parques Nacionales. No he visitado muchos de ellos. Esto quizá se deba a que encierran lo único, lo espectacular, lo asombroso: la catarata más grande, el cañón más hondo, el acantilado más alto, las obras más espléndidas del hombre y de la naturaleza. Y preferiría ver una buena foto de Brady que Mount Rushmore. Pues soy de la opinión de que encerramos y celebramos los bichos raros de nuestro país y nuestra civilización. El Parque Nacional de Yellowstone no es más representativo de Estados Unidos de lo que lo es Disneylandia.

Siendo ésta mi actitud natural, no sé qué fue lo que me hizo girar hacia el sur y cruzar una frontera estatal para echar un vistazo a Yellowstone. Quizá fuese miedo a mis vecinos. Ya los oía exclamar: «¿Quieres decir que pasaste tan cerca de Yellowstone y no fuiste? Debes de estar loco». Podría haber sido también la tendencia del estadounidense cuando viaja. Se va no tanto para ver como para poder contarlo después. Fuese lo que fuese lo que me indujo a ir a Yellowstone, me alegro de haber ido porque descubrí una cosa de Charley que quizá no hubiese descubierto nunca de no hacerlo.

Me recibió a la entrada un hombre del Servicio Nacional de Parques de aspecto agradable y, después de los trámites de rigor, me dijo:

—¿Y el perro? No están permitidos si no llevan correa.

—¿Por qué?—pregunté.

—Por los osos.

—Caballero—dije—, éste es un perro único. No vive a base de dientes o colmillos. Respeta el derecho de los gatos a ser gatos aunque no los admire. Se desvía para no molestar a una oruga obstinada. No hay cosa que le dé más miedo que el que alguien señale a un conejo y le diga que lo persiga. Es un perro de paz y de tranquilidad. Creo que el mayor peligro para sus osos será la irritación que pueda causarles el hecho de ver que Charley no les hace ningún caso.

El joven se echó a reír.

—Lo que me preocupaba no eran los osos—dijo—. Pero es que se han vuelto intolerantes con los perros. Uno de ellos podría demostrar sus prejuicios con un gancho en la barbilla y entonces... adiós perro.

—Lo encerraré en la parte de atrás, caballero. Le prometo que Charley no causará la menor perturbación en el mundo de los osos y, siendo como soy un observador de osos veterano, tampoco yo lo haré.

—Yo sólo debo avisarle—dijo—. Estoy absolutamente convencido de que su perro tiene la mejor de las intenciones. Pero, por otra parte, nuestros osos tienen las peores. No deje comida por ahí. No sólo roban sino que se muestran críticos con cualquiera que intente reformarlos. En una palabra, no crea en sus dulces rostros porque podría acabar espachurrado. No deje andar suelto al perro. Los osos no discuten.

Seguimos nuestro camino por el mundo maravilloso de la naturaleza enloquecida y no resulta fácil de creer lo que pasó. El único medio que tenía de poder demostrarlo sería un oso.

A poco más de un kilómetro de la entrada vi al lado de la carretera un oso que avanzó hacia nosotros como si quisiera pararnos. Y se produjo instantáneamente un cambio en Charley. Aulló de rabia. Echaba fuego por los labios, enseñando unos dientes perversos que tienen ciertos problemas cuando se enfrentan a una galleta de perro. Le aulló insultos al oso, que al oírlos se alzó de patas, tuve la impresión de que para volcar a Rocinante. Subí los cristales de las ventanillas frenético y, desviándome bruscamente a la izquierda, pasé rozando al animal y luego lo dejé atrás largándome de allí mientras Charley despotricaba y echaba pestes a mi lado, describiendo con detalle lo que le haría a aquel oso si pudiera cogerlo. Nunca en mi vida me sentí tan asombrado. Que yo supiese, Charley nunca había visto a un oso, y había demostrado en toda su historia una gran tolerancia hacia todos los seres vivos. Aparte de esto, Charley es un cobarde, un cobarde tan redomado que ha desarrollado una técnica para ocultarlo. Y sin embargo mostraba todos los indicios de que quería salir de allí y matar a un oso que le superaba en peso en una proporción de mil a uno. No lo comprendo.

Un poco más allá aparecieron otros dos osos y el efecto se duplicó. Charley se convirtió en un maniaco. Empezó a saltar encima de mí, maldecía y rezongaba, gruñía y chillaba. Yo no sabía que fuese capaz de gruñir. ¿Dónde había aprendido? Había un buen número de osos y la carretera se convirtió en una pesadilla. Por primera vez en su vida, Charley se resistía a la razón, se resistió incluso a un capón encima de la oreja. Se convirtió en un matador primitivo ansioso de la sangre del adversario, él que hasta aquel momento no había tenido nunca adversarios. En una extensión sin osos, abrí la cabina, cogí a Charley por el collar y lo encerré en la casa. Pero no sirvió de nada. Cuando pasamos delante de otros osos se subió a la mesa de un salto y se puso a arañar las ventanas intentando salir por ellas. Pude oír el estruendo de productos enlatados cayendo mientras él se debatía en su frenesí. Los osos simplemente sacaban a la luz al Hyde que había por detrás de mi perro Jekyll. ¿Cuál podría haber sido la causa? ¿Era un recuerdo prenatal de una época en que dentro de él estaba el lobo? Le conozco bien. De vez en cuando se marca un farol, pero es una mentira palpable. Juro que aquello no era ninguna mentira. Estoy seguro de que si lo hubiese soltado se habría lanzado contra cada oso con que nos cruzamos y habría sido la victoria o la muerte.

Era demasiado desquiciante, un espectáculo espantoso, como ver volverse loco a un viejo amigo muy tranquilo. Ninguna cuantía de maravillas naturales, de precipicios cortados a pico y aguas eructantes, de fuentes humeantes podrían atraer jamás mi atención mientras continuase aquel pandemonio. Después del quinto encuentro, más o menos, renuncié, hice girar a Rocinante y volví sobre mis pasos. Si hubiese parado a pasar la noche y hubiesen acudido los osos al olor de mi guiso, no me atrevo a pensar lo que habría pasado.

A la salida me encontré otra vez con el guarda del parque.

—No se quedó mucho. ¿Dónde está el perro?

—Encerrado ahí atrás. Y le debo una disculpa. Ese perro tiene el corazón y el alma de un matador de osos y yo no lo sabía. Hasta ahora le enternecía el corazón hasta un filete poco hecho.

—¡Ya!—dijo él—. A veces pasa eso. Por eso le advertí. Un perro de osos se daría cuenta de sus posibilidades, pero he visto a un perro de Pomerania subir por el aire como una bocanada de humo. Un oso bien dotado puede batear a un perro como si fuese una pelota de tenis, ¿sabe usted?

Me fui rápido, por el camino por el que había llegado y me resistía a acampar por miedo a que pudiese haber por allí osos extraoficiales que no perteneciesen al gobierno. Esa noche la pasé en un bonito motel cerca de Livingston. Cené en un restaurante y una vez instalado con un whisky y un asiento cómodo y mis pies bañados descalzos sobre una alfombra de rosas rojas,. inspeccioné a Charley. Estaba aturdido. Los ojos conservaban una mirada remota y estaba totalmente exhausto, de las emociones sin duda. Me recordaba sobre todo a un hombre que está saliendo de una borrachera dura y larga: agotado, desmadejado, desmoronado. No pudo tomar su cena, se negó a dar el paseo vespertino y se desplomó en el suelo y se quedó dormido en cuanto entramos. Por la noche le oí gemir y ladrar, y cuando encendí la luz estaba haciendo con las patas los movimientos de correr y meneaba el cuerpo y tenía los ojos muy abiertos, pero era sólo un oso de la noche. Lo desperté y le di un poco de agua. Después de eso se puso a dormir y no se movió más en toda la noche. Por la mañana estaba aún cansado. Me pregunté por qué creeremos que son tan simples los pensamientos y las emociones de los animales.

Recuerdo que cuando era niño y leí u oí lo de «La Gran Divisoria» me quedé pasmado ante un nombre tan glorioso, un nombre apropiado para la columna vertebral de granito de un continente. Vi con el pensamiento escarpaduras que se elevaban hasta penetrar en las nubes, una especie de Gran Muralla China natural. Las montañas Rocosas son demasiado grandes, demasiado largas, demasiado importantes para tener que ser imponentes. En Montana, a la que había regresado, la elevación es gradual, y si no fuese por un cartel pintado no habría sabido nunca cuándo las crucé. No era muy alta para lo que son las elevaciones. Vi el cartel después de pasarla, pero paré y di la vuelta y salí y la recorrí. Cuando estaba plantado sobre ella mirando hacia el sur tuve una sensación extraña de que la lluvia que estaba cayendo sobre mi pie derecho debía caer en el océano Pacífico, mientras que la del pie izquierdo acabaría hallando después de innumerables kilómetros su camino hasta el Atlántico. El lugar no era lo suficientemente impresionante para transmitir un hecho formidable como aquél.

Es imposible estar en ese elevado territorio vertebral sin pensar en los primeros hombres que lo cruzaron, los exploradores franceses, los hombres de Lewis y Clark. Lo cruzamos volando en cinco horas; viajando en coche sin detenerse en una semana; entreteniéndose como yo en un mes o en seis semanas. Pero Lewis y Clark y su grupo partieron de Sant Louis en 1804 y regresaron en 1806. Y si pensamos que nosotros somos hombres, podríamos recordar que en los dos años y medio que estuvieron abriéndose paso por un territorio salvaje y desconocido hasta llegar al océano Pacífico y luego en el viaje de vuelta, sólo murió un hombre y sólo uno desertó. Y nosotros nos ponemos malos si se retrasa el reparto de la leche y casi morimos de un ataque al corazón si hay una huelga de ascensores. ¿Qué pensarían aquellos hombres cuando se desplegaba ante ellos un mundo realmente nuevo? ¿O era tan lento el avance que se difuminaba la impresión? No puedo creer que no les impresionase. Desde luego, su informe al gobierno es un documento emocionado y emocionante. No se sentían confusos. Sabían lo que habían encontrado.

Crucé el pulgar alzado de Idaho y atravesé montañas reales que ascendían empinadas, almohadilladas de pinos y densamente empolvadas de nieve. Dejó de funcionar la radio y creí que se había estropeado, pero era sólo que los altos picachos cortaban el paso a las ondas sonoras. Empezó a nevar, pero no cambió mi suerte, pues no fue más que una nevada liviana y alegre. El aire estaba más tibio de lo que lo había estado en el otro lado de la Gran Divisoria y me pareció recordar que había leído que los vientos cálidos de la corriente japonesa penetran profundamente tierra adentro. El matorral era denso y muy verde, y había por todas partes agua en abundancia. Las carreteras estaban desiertas salvo por alguna partida de caza esporádica, todos con sombreros rojos y chaquetas amarillas, y a veces un ciervo o un alce colocado sobre el capó del coche. Había unas cuantas cabañas de montaña incrustadas en las empinadas laderas, pero no muchas.

Me estaba viendo obligado a hacer muchas paradas por causa de Charley. Éste tenía una dificultad creciente para evacuar la vejiga, que es el modo finolis de indicar el triste síntoma de no ser capaz de mear. Eso a veces le causaba dolor y siempre turbación. Pensad en un perro como él de gran *élan*, de modales impecables, de *ton, enfin* de una cierta majestuosidad. No sólo le hacía daño sino que dañaba también sus sentimientos. Yo paraba a un lado de la carretera y le dejaba vagabundear, teniendo el detalle de darle la espalda. Le llevaba muchísimo tiempo. Si le hubiese pasado lo mismo a un varón humano yo habría pensado que era prostatitis. Charley es un anciano caballero de origen francés. Las dos únicas afecciones que los franceses confesarán son ésa y problemas de hígado.

Y así, mientras esperaba por él y fingía inspeccionar plantas y pequeños cursos de agua, intentaba reconstruir mi viaje como una sola pieza y no como una serie de incidentes. ¿Qué estaba haciendo mal? ¿Iban las cosas como yo quería? Antes de partir me habían aleccionado, instruido, informado y lavado el cerebro muchos de mis amigos. Uno de ellos es un reportero político famoso y sumamente respetado. Había estado recorriendo el país con los candidatos presidenciales y cuando le vi no estaba contento, porque ama a su país y percibía una enfermedad en él. Podría decir además que es un hombre totalmente sincero.

—Si encuentras en tus viajes en algún sitio un hombre de verdad—dijo con amargura—señala el lugar. Quiero ir a verle. Lo único que he visto ha sido cobardía e intereses personales. Ésta era una nación de gigantes. ¿Qué ha sido de ellos? No se puede defender una nación con un consejo de administración. Para eso hacen falta hombres. ¿Dónde están?

—Debe de haber en algún sitio—dije yo.

—Bueno, pues mira a ver si encuentras alguno. Los necesitamos. Juro por Dios que la única gente de este país con redaños parecen ser los negros. No vayas a creer —dijo—que no quiero que entren los negros en este asunto de los héroes, pero, qué demonios, tampoco quiero que acaparen el mercado. Tú localízame diez estadounidenses blancos sanos que no tengan miedo a tener una convicción, una idea o una opinión en un campo que sea impopular y dispondré de la parte básica de un ejército regular.

La evidente preocupación de mi amigo por esta cuestión me impresionó mucho, así que escuché y miré atentamente durante todo el viaje. Y la verdad es que no oí exponer a la gente muchas convicciones. Sólo vi dos peleas de hombres auténticas, a puñetazos y con una imprecisión entusiasta, y las dos fueron por mujeres.

Charley regresaba disculpándose por necesitar más tiempo. Y yo pensaba que ojalá pudiese ayudarle, pero él quería estar solo. Y recordé otra cosa que me había dicho mi amigo.

—Solía haber una cosa o un artículo al que concedíamos mucho valor. Se llamaba el Pueblo. Descubre adónde se ha ido el Pueblo. No me refiero a la gente de la pasta de dientes y el tinte para el pelo que tiene ya los ojos cuadrados de tanto ver la tele ni a la gente de coche nuevo o reviento, o a la de éxito e infarto. Quizás no haya existido nunca el Pueblo, pero si lo hubo alguna vez, ése es el artículo del que hablaban la Declaración de Derechos y el señor Lincoln. Puestos a pensarlo, he conocido a unos cuantos que se merecían el calificativo, pero no muchos. ¿Verdad que sería una estupidez que la Constitución se hubiese referido a un joven cuya vida se centrase en torno a un silbido, un guiño y Wildroot?

—Quizás el Pueblo—recuerdo que contesté—lo formen siempre los que pertenecían a la generación anterior a la última.

Charley estaba muy torpe. Tuve que ayudarle a entrar en Rocinante. Y seguimos montaña arriba. Soplaba una nieve seca muy ligera que era como polvo blanco sobre la carretera, y me pareció que llegaba ya antes el anochecer. Justo debajo de la cima de un paso de montaña paré a por gasolina en un grupito de variopintas cabañas, cajas cuadradas con una entrada, una puerta y una ventana cada una de ellas y sin el menor vestigio de jardín ni de senderos de grava. La pequeña tienda para todo, taller de reparaciones y comedor que había detrás de las bombas de gasolina era la menos atractiva que he visto en mi vida. Los letreros azules del restaurante estaban viejos y autografiados por las moscas de muchos veranos ya pasados. «Tartas como las haría mamá si hubiese sabido cocinar». «No le miramos la boca. No mire en nuestra cocina». «No se admiten cheques salvo que vayan acompañados de huellas dactilares». Las viejas gracias de siempre. Allí no habría nada de celofán cubriendo la comida.

No salía nadie a atender la bomba de gasolina, así que entré en el comedor. De la habitación de detrás, que era probablemente la cocina, llegaba el rumor de una discusión: una voz grave y una voz de varón más suave reñían entre ellas.

—¿Hay alguien?—grité, y las voces cesaron. Luego cruzó la puerta un hombre corpulento, ceñudo aún del altercado.

—¿Quiere algo?

—Llenar el depósito de gasolina. Pero si tiene usted una cabaña, podría quedarme de noche.

—Elija la que quiera. No hay un alma.

—¿Puedo darme un baño?

—Le llevaré un cubo de agua caliente. El precio de invierno son dos dólares.

—Está bien. ¿Puedo comer algo?

—Jamón asado y alubias, helado.

—Vale. Tengo un perro.

—Éste es un país libre. Las cabañas están todas abiertas. Elija la que quiera. Cante si necesita algo.

No se había ahorrado ningún esfuerzo para hacer las cabañas incómodas y feas. La cama estaba llena de bultos, las paredes eran de un amarillo fosco, los visillos como la ropa interior de una mujer sucia. Y la habitación sin ventilar tenía un aroma mixto a ratón y humedad, a moho y al olor del polvo viejo, muy viejo. Pero las sábanas estaban limpias y bastó un poco de ventilación para hacer desaparecer los recuerdos de los anteriores habitantes. Colgaba del techo una bombilla sin pantalla y había una estufa de queroseno como calefacción.

Llamaron a la puerta y di acceso a un joven de unos veinte años que vestía unos pantalones grises de franela, zapatos de dos tonos, una camisa de lunares y una chaqueta deportiva con el escudo de un instituto de enseñanza media de Spokane. El cabello oscuro y reluciente de aquel muchacho era una obra maestra de superpeluquería, la parte superior echada hacia atrás y cruzada luego por largas mechas laterales que dejaban las orejas al descubierto. Me quedé pasmado al verle después del ogro del comedor.

—Aquí tiene su agua caliente—dijo, y la voz era la del otro de la discusión. Estaba abierta la puerta y vi que el chico estaba mirando a Rocinante y que se detenía en la matrícula.

—¿Es usted realmente de Nueva York?

—Sí.

—Yo quiero ir allí algún día.

—Allí todo el mundo quiere venir aquí.

—¿A qué? Aquí no hay nada. Aquí sólo puedes pudrirte.

—Si lo que quieres es pudrirte, puedes hacerlo en cualquier sitio.

—Quiero decir que no tienes ninguna posibilidad de progresar.

—¿Hacia dónde quieres progresar tú?

—Bueno, quiero decir, no hay ningún teatro ni música, nadie... con quién hablar. Hasta es difícil conseguir revistas atrasadas salvo que te suscribas.

—¿Así que lees *The New Yorker*?

—¿Cómo lo supo? Estoy suscrito.

—¿Y la revista *Time*?

—Por supuesto.

—No tienes que ir a ninguna parte.

—¿Cómo dice?

—Tienes el mundo en la palma de la mano, el mundo de la moda y del arte, y el mundo del pensamiento, al alcance de la mano, en tu casa. Ir allí sólo serviría para desconcertarte más.

—A uno le gusta ver las cosas por sí mismo—dijo. Juro que lo dijo.

—¿Él es tu padre?

—Sí, pero es casi como si fuera huérfano. Lo único que le gusta es pescar, cazar y beber.

—¿Y qué te gusta a ti?

—Yo quiero salir adelante en el mundo. Tengo veinte años. Tengo que pensar en mi futuro. Y él no hace más que chillarme. No sabe hablar sin chillar. ¿Va a comer usted con nosotros?

—Claro.

Me bañé despacio en el costroso cubo galvanizado. Pensé por un momento en sacar ropa de Nueva York y dejar apabullado al joven, pero desistí de hacerlo y me conformé con unos pantalones caquis y una camisa de punto.

La cara del fornido propietario estaba colorada como una frambuesa madura cuando entré en el comedor. Apuntó con la mandíbula en mi dirección y dijo:

—Por si no hubiera bastantes problemas, tiene que ser usted de Nueva York.

—¿Es malo eso?

—Para mí lo es. Acababa de conseguir que el chico se tranquilizara y usted le mete cardos debajo de la manta.

—No le hablé bien de Nueva York.

—No, pero viene usted de allí y ahora está otra vez sublevado. Oh, demonios, ¿de qué vale lamentarse? No hace nada de provecho aquí. Venga, podría comer usted también con nosotros atrás.

Atrás era cocina, despensa, alacena, comedor... y el catre cubierto con mantas del ejército lo hacía también dormitorio. Crepitaba y ronroneaba allí una gran estufa gótica de leña. Íbamos a comer en una mesa cuadrada cubierta con un hule blanco con arañazos de cuchillo. El nervioso joven sirvió cuencos de burbujeantes alubias con tocino.

—Me pregunto si podría proporcionarme usted una luz para leer...

—Demonios, apago el generador cuando me voy a la cama. Puedo darle una lámpara de petróleo. Espabila. Tengo un jamón de lata asado en el horno.

El joven taciturno servía las alubias con desgana. El hombre de cara colorada dijo gritando:

—Yo creí que en cuanto terminase en el instituto se acabaría el asunto, pero con él no, con Robbie no. Decidió hacer un curso nocturno... ahora agárrese... no en el instituto. Se lo pagó él. No sé de dónde sacó el dinero.

—Parece muy ambicioso.

—Un cuerno ambicioso. No sabe usted de qué era el curso... de peluquero. No de barbero... peluquero... de señoras. Ahora quizá comprenda ya mis preocupaciones.

Robbie, que estaba partiendo el jamón, se volvió. Sostenía el delgado cuchillo rígidamente en la mano derecha. Buscó en mi rostro la expresión de desprecio que esperaba. Me esforcé por parecer severo, reflexivo e indiferente, todo al mismo tiempo. Me tiré de la barba, lo que dicen que indica concentración.

—Diga lo que diga, uno de los dos va a echarme los perros. Me han puesto en el medio.

Papá inspiró profundamente y luego fue soltando el aire despacito.

—Tiene usted razón, Dios santo, sí—dijo y luego rió entre dientes y desapareció la tensión.

Robbie trajo los platos de jamón a la mesa y me sonrió, creo que agradecido.

—Ahora que hemos desahogado, ¿qué piensa usted de este asunto de la estética y la peluquería?

—No le va a gustar lo que pienso.

—¿Cómo lo sabe si no lo ha dicho?

—Bueno, de acuerdo, pero comeré deprisa por si tengo que salir corriendo.

No le contesté hasta terminar las alubias y la mitad del jamón.

—Bueno—dije—. Ha tocado usted un tema en el que he pensado bastante. Conozco a bastantes mujeres y muchachas... de todas las edades, de todos los tipos, de todas las formas... no hay dos iguales salvo en una cosa: el peluquero. Mi opinión considerada es que el peluquero es el hombre más influyente de toda comunidad.

—Está usted haciendo un chiste.

—No lo estoy. He hecho un estudio profundo de esto.

Cuando las mujeres van al peluquero, y todas lo hacen si pueden permitírselo, les pasa una cosa. Se sienten seguras, se relajan. No tienen que mantener ningún tipo de apariencia. El peluquero sabe cómo tienen la piel debajo del maquillaje, sabe la edad que tienen, si se han estirado la cara y cuántas veces. Debido a ello, las mujeres le cuentan a un peluquero cosas que no se atreverían a confesar a un sacerdote, y hablan claramente de cuestiones que intentarían ocultarle a un médico.

—No me diga.

—En serio. Se lo dice un especialista en la materia. Cuando las mujeres ponen sus vidas secretas en manos del peluquero, éste obtiene una autoridad que pocos hombres más llegan a tener. He oído citar a peluqueros con absoluta convicción en cuestiones de arte, literatura, economía, cuidado de niños y moral.

—Creo que está usted bromeando, pero tiene razón.

—No me sonrío cuando lo digo. Le aseguro que un peluquero listo, sensato y ambicioso dispone de un poder del que no se hacen cargo la mayoría de los hombres.

—¡Dios santo! ¿Has oído eso, Robbie? ¿Sabías tú todo eso?

—Algo sabía. Porque en el curso que hice había toda una sección sobre psicología.

—No se me habría ocurrido jamás, la verdad—dijo Papá—. Oiga, ¿qué tal si echamos un traguito?

—Gracias, esta noche no. Tengo el perro que no está bien. Tendré que levantarme pronto para ver si encuentro un veterinario.

—Le diré lo que haremos... Robbie le preparará una luz para leer ahora mismo. Dejaré el generador encendido. ¿Quiere usted desayunar algo?

—No, creo que no. Voy a irme muy temprano.

Cuando llegué a mi cabaña después de intentar ayudar a Charley en sus tribulaciones, Robbie estaba atando una luz problemática al armazón de hierro de mi triste lecho.

—Señor—dijo quedamente—, no sé si cree usted todo lo que dijo, pero desde luego me ha echado una mano.

—Creo que la mayor parte de ello podría ser verdad, sabes. Si lo es, es muchísima responsabilidad, ¿no, Robbie?

—Claro que sí—dijo solemnemente.

Fue una noche inquieta para mí. Había alquilado una cabaña que era bastante menos cómoda que la que llevaba conmigo, y una vez instalado me había entrometido en una cuestión que no era asunto mío. Y aunque es verdad que la gente raras veces actúa siguiendo el consejo de otros a menos que fuese a actuar así de todos modos, había una pequeña posibilidad de que en mi entusiasmo por mi tesis sobre la peluquería pudiese haber conjurado un monstruo.

Charley me despertó en mitad de la noche con un quejido suave y contrito y, como no es un perro quejica, me levanté inmediatamente. Tenía problemas, desde luego, tenía el abdomen dilatado y la nariz y las orejas calientes. Lo saqué y me quedé con él, pero no podía aliviar la presión.

Lamenté no saber nada de medicina veterinaria. Un animal enfermo provoca un sentimiento de impotencia. No puede explicar lo que le pasa, aunque por otra parte no puede mentir, exagerar los síntomas ni entregarse a los placeres de la hipocondría. No quiero decir que sean incapaces de fingir. Hasta Charley, que es tan honesto como el que más, tiende a cojear cuando se le hiere en sus sentimientos. Ojalá alguien escribiese un libro bueno y exahustivo de medicina casera canina. Yo mismo lo haría si estuviese cualificado.

Charley estaba realmente enfermo, y se pondría aún más si yo no daba con algún medio de aliviar aquella presión creciente. Un catéter serviría, pero ¿quién tiene uno en las montañas en medio de la noche? Yo tenía un tubo de plástico para trasvasar gasolina, pero el diámetro era demasiado grande. Luego recordé algo sobre la presión que causa la tensión muscular que aumenta la presión, etc., de manera que el primer paso es relajar los músculos. Mi botiquín no estaba concebido para la práctica de la medicina general, pero tenía un frasco de somníferos... seconal, un grano y medio. Pero ¿y la dosis? Ahí es donde habría resultado útil el libro de medicina doméstica. Abrí una cápsula, tiré la mitad y volví a cerrarla. Se la introduje a Charley hasta el fondo de la lengua, donde no pudiese sacarla, luego le levanté la cabeza y le di un masaje para ayudarle a tragarla. Después lo subí a la cama y lo tapé. Al cabo de una hora no había experimentado ningún cambio, así que abrí una segunda cápsula de seconal y le di otra mitad. Me parecía que eso, un grano y medio, era una dosis bastante fuerte para su peso, pero Charley debía tener una gran tolerancia. Lo resistió tres cuartos de hora, al cabo de los cuales se le aminoró la respiración y se quedó dormido. Yo debí adormilarme también. Cuando me di cuenta, se había caído al suelo. Drogado como estaba, se le doblaban las piernas. Se levantó, cayó, se levantó otra vez. Abrí la puerta y le dejé salir. En fin, el método funcionó perfectamente, aunque no entiendo cómo el cuerpo de un perro de talla media podía retener tanto líquido. Finalmente volvió a entrar tambaleante, se desplomó en un trozo de alfombra y se quedó dormido inmediatamente. Estaba tan completamente ido que empecé a preocuparme por la dosis. Pero la temperatura había descendido y la respiración era normal y le latía el corazón con fuerza y con regularidad. Mi sueño fue inquieto y cuando amaneció vi que Charley no se había movido. Le desperté y cuando conseguí su atención se mostró muy cordial. Sonrió, bostezó y se volvió a dormir.

Le llevé en brazos hasta la cabina y salí pitando camino de Spokane. No recuerdo absolutamente nada del paisaje de la zona que recorrí. En los arrabales de la población busqué un veterinario en la guía telefónica, pregunté direcciones y metí a Charley apresuradamente en la sala de reconocimiento como una urgencia. No mencionaré el nombre del veterinario, pero él es una razón más para un buen libro sobre medicina doméstica canina. Estaba, si no en edad de jubilación, si forzando la suerte, pero ¿quién soy yo para decir que tenía resaca? Alzó el labio de Charley con mano temblona, luego le alzó el párpado y lo dejó caer otra vez.

—¿Qué le pasa?—preguntó, sin el menor interés.

—Para eso estoy aquí... para descubrirlo.

—Está un poco atontado. Es ya viejo. Puede que haya tenido un ataque.

—Tenía la vejiga hinchada. Si está atontado es porque le di un grano y medio de seconal.

—¿Para qué?

—Para que se relajara.

—Bueno, pues se relajó.

—¿Fue una dosis demasiado grande?

—No sé.

—Bueno, ¿cuánto le daría usted?

—Yo no le daría nada.

—Empecemos de nuevo... ¿qué es lo que tiene?

—Probablemente un catarro.

—¿Causaría eso síntomas en la vejiga?

—Si hubiese cogido frío allí... sí señor.

—Bueno, mire... estoy viajando. Me gustaría un diagnóstico más preciso.

Resopló.

—Verá usted. Es un perro viejo. Los perros viejos tienen molestias y dolores. Así son las cosas.

Debía estar irritado de la noche.

—También los hombres viejos—dije yo—. Eso no les impide hacer algo para aliviarlos.

Y creo que por primera vez conseguí llegar hasta él.

—Le daré algo para que vacíe los riñones—dijo—. Es sólo un catarro.

Cogí las pastillitas, pagué la consulta y salí de allí. No era que a aquel veterinario no le gustasen los animales. Creo que era él mismo quien no se gustaba, y cuando pasa eso el sujeto suele tener que encontrar un área a la que detestar fuera de sí mismo. Si no, tendría que aceptar su autodesprecio.

Por otra parte, nadie detesta más que yo al supuesto amante de los perros, el que amontona sus frustraciones y obliga a un perro a llevarlas a cuestas. Este amante de los perros habla en un lenguaje de niño pequeño a animales maduros y reflexivos y les atribuye sus propias características sensibleras, hasta que el perro se convierte para él en un álter ego. Yo creo que esta gente, con lo que ellos consideran bondad, son capaces de infligir a un animal largas y prolongadas torturas, negándole todos sus deseos y satisfacciones naturales hasta que un perro de carácter débil se desmorona y se convierte en un amasijo de neurosis gordo, asmático y peludo. Cuando un extraño se dirige a Charley en lenguaje de bebé, Charley le evita. Porque Charley no es un ser humano; es un perro y le gusta serlo. Considera que es un perro de primera clase y no tiene ninguna gana de ser un humano de segunda. Cuando el veterinario alcohólico lo tocó con su mano temblona e inepta, vi brillar en los ojos de Charley un velado desprecio. Supo qué clase de hombre era, según me pareció, y tal vez el veterinario supo que lo sabía. Y tal vez fuera ése el problema de aquel hombre. Ha de ser muy doloroso darse cuenta de que tus pacientes no tienen fe en ti.

Después de Spokane había pasado el peligro de una nevada prematura, ya que el aire había cambiado y se había endulzado con el fuerte aliento del Pacífico. El tiempo real de camino desde Chicago era corto, pero las dimensiones abrumadoras y la variedad del territorio, los muchos incidentes y las muchas personas que me había encontrado en el camino, habían estirado el tiempo de un modo desproporcionado. Porque no es verdad que se recuerde como rápido un periodo sin incidentes del pasado. Todo lo contrario, hacen falta los hitos de los acontecimientos para dar dimensión de pasado a un recuerdo. El tiempo se desploma cuando no pasa nada.

El Pacífico es mi océano natal; lo conocí primero, me crié en su litoral, recogí animales marinos a lo largo de su costa. Conozco sus estados de ánimo, su colorido, su carácter. Capté el primer aroma del Pacífico desde muy lejos tierra adentro. Cuando se ha estado mucho tiempo en el mar, el olor de la tierra te llega de muy lejos para recibirte. Y pasa igual cuando uno ha estado mucho tiempo tierra adentro. Creo que olí las rocas marinas y las algas y la emoción del agua del mar arremolinándose, el picor del yodo y el olor de fondo de conchas calcáreas molidas y lavadas. Ese aroma lejano y recordado llega sutilmente, de manera que no lo huele uno conscientemente sino que se desencadena más bien una emoción electrizante, una especie de alegría bulliciosa. Me vi lanzándome por las carreteras de Washington, tan entregado al mar como cualquier lemming migratorio.

Me acordaba muy bien de la exuberancia y la belleza de la zona oriental de Washington y del noble río Columbia, que dejó su marca en Lewis y Clark. Y aunque había embalses y tendidos eléctricos que yo no había visto, no era muy diferente de lo que recordaba. El cambio increíble no se hizo patente hasta que no estuve cerca de Seattle.

Yo había estado leyendo, claro está, sobre la explosión demográfica de la Costa Oeste, pero para la mayoría de la gente la Costa Oeste es California. Enjambres de individuos que llegan, ciudades que duplican y triplican su número de habitantes, mientras las autoridades se quejan del coste creciente de las mejoras y de que tienen que hacerse cargo de un nuevo y gran aluvión de indigentes. Fue en Washington donde lo vi primero. Recordaba Seattle como una ciudad asentada sobre colinas al lado de un puerto incomparable... una ciudad pequeña con espacio y árboles y jardines, las casas acordes con ese entorno. No es así ya. Las cimas de las colinas se cortaron para hacer conejeras a nivel para los conejos del presente. Las carreteras, que tienen ocho carriles, atraviesan como glaciares una tierra inquieta. Aquel Seattle no tenía ninguna relación con el que yo recordaba. El agobio del tráfico alcanzaba una intensidad asesina. Y no conseguía encontrar el camino en las cercanías de aquel lugar que en otros tiempos yo conocía bien. A lo largo de lo que habían sido caminos rurales ricos en bayas, se extendían ahora altas vallas de alambre y fábricas de más de un kilómetro de extensión, y se cernían sobre todo ello los humos amarillos del progreso, que se resistían a los esfuerzos que hacía el viento del mar por ahuyentarlos.

Da la impresión de que estoy añorando con esto un tiempo que se ha ido, que es lo que les preocupa a los viejos, o que cultivo una oposición al cambio, que es característica de los ricos y los estúpidos. No es así. Aquel Seattle no era algo que yo hubiese conocido y que hubiese cambiado. Era una cosa nueva. Si me hubiesen depositado allí sin decirme que aquello era Seattle, no podría haber dicho dónde estaba. Crecimiento frenético por todas partes, un crecimiento carcinomatoso. Las excavadoras penetraban por las laderas de los bosques y amontonaban la basura resultante para quemarla. La madera blanca arrancada de formas concretas se apilaba junto a muros grises. Me pregunto por qué progreso se parece tanto a destrucción.

Al día siguiente fui a la parte vieja de Seattle, donde peces y cangrejos y camarones yacían hermosamente sobre blancos lechos de hielo cortado y donde había verduras lavadas y relumbrantes dispuestas en cuadros. Tomé jugo de almeja y los picantes cócteles de cangrejos en los puestos de los muelles. No había cambiado mucho, sólo estaba un poco más sucio y destartalado que veinte años atrás. Y viene a cuento aquí una consideración general sobre el crecimiento de las ciudades estadounidenses, que parece ser válida para todas las que yo conozco. Cuando una ciudad empieza a crecer y a extenderse hacia fuera, desde los bordes, el centro que fue su gloria en otros tiempos se abandona en cierto modo al tiempo. Entonces los edificios se oscurecen y se asienta allí una especie de deterioro; se traslada allí gente más pobre al bajar los alquileres y el pequeño comercio marginal pasa a ocupar el lugar que ocupaban antes negocios prósperos. El barrio es aún demasiado bueno para echarlo abajo y demasiado pasado de moda para que resulte deseable. Además, la energía se ha canalizado toda hacia las nuevas urbanizaciones, hacia los supermercados semirrurales, los cines al aire libre, las casas nuevas con amplio espacio de césped y las escuelas de estuco donde se confirma a los niños en su analfabetismo. El viejo puerto de calles estrechas y suelos empedrados, tiznado de humo, pasa por un periodo de desolación, habitado de noche por ruinas imprecisas de hombres, los lotófagos que se abren camino diariamente hacia la inconsciencia a base de alcohol puro. Casi todas las ciudades que conozco tienen esa madre agonizante de la violencia y la desesperación donde de noche se esfuma la claridad de las farolas y los policías andan en parejas. Y luego un día quizá vuelva la ciudad y extirpe la llaga y eleve un monumento a su pasado.

El estado de Charley mejoró con el descanso de los días que estuvimos en Seattle. Me pregunté si, al estar haciéndose viejo, la vibración constante de la camioneta no podría haber sido la causa de su problema.

A medida que fuimos bajando por la costa fue cambiando, como es natural, mi método de viaje. Al oscurecer buscaba todos los días un motel agradable para descansar, sitios nuevos y bonitos que habían surgido en los últimos años. Empecé entonces a experimentar una tendencia del Oeste que tal vez soy demasiado viejo para poder aceptarla. Es el principio de «hazlo tú mismo». En el desayuno te ponen una tostadora en la mesa. Tú mismo te haces las tostadas. Cuando aparcaba el coche en una de aquellas joyas del confort y la comodidad, me inscribía y me enseñaban mi cómoda habitación después de pagar un adelanto, por supuesto, no volvía a tener el menor contacto con el personal. No había camareros ni botones. Las mujeres que limpiaban las habitaciones entraban y salían invisiblemente. Si quería hielo, había una máquina junto a la oficina. Yo mismo cogía el hielo, los periódicos. Todo era práctico, estaba centralizado y daba una sensación de soledad. Disfrutaba de los máximos lujos. Los demás clientes iban y venían silenciosamente. Si les lanzabas un «Buenas noches» parecían quedarse un poco desconcertados y luego contestaban, «Buenas noches». Me dio la sensación de que me miraban buscando un sitio para insertar monedas.

En algún punto de Oregón, un domingo lluvioso, reclamó mi atención el gallardo Rocinante. No he hablado de mi fiel vehículo más que en términos protocolarios de elogio fugaz. ¿Acaso no sucede siempre eso? Estimamos la virtud pero no hablamos de ella. El contable honrado, la esposa fiel, el erudito meticuloso, nos llaman poco la atención comparados con el que hace un desfalco, el sinvergüenza, el estafador. Si se ha olvidado a Rocinante en esta crónica es porque funcionó a la perfección. El olvido no se extendió sin embargo a la mecánica. Yo había cambiado meticulosamente el aceite y había engrasado cuando y donde había sido necesario. No soporto ver un motor descuidado o maltratado o forzado por encima de su capacidad.

Rocinante correspondió a mi bondad como debía, con un funcionamiento perfecto y un motor ronroneante. Sólo fui descuidado en una cosa, o tal vez me excedí en mi celo. Cargué demasiado de todo: demasiados víveres, demasiados libros, herramientas suficientes para montar un submarino. Si encontraba agua que tuviera buen sabor llenaba el depósito, y ciento trece litros de agua pesan ciento veinte kilos. Una bombona de butano de reserva por razones de seguridad pesa treinta kilos. Los amortiguadores soportaban una gran carga, pero no parecía que corriesen peligro, y en carreteras de suelo irregular aminoraba la velocidad y conducía con cuidado, y, debido a su bondad espontánea, trataba a Rocinante como al contable honrado, como a la fiel esposa: no le hacía ningún caso. Y en Oregón, un domingo de lluvia, cuando atravesaba un interminable charco cenagoso, se le reventó la rueda trasera derecha con una explosión acuosa. He conocido y poseído coches ruines y de mal carácter que habrían hecho una cosa así por pura maldad y perversidad, pero Rocinante no era de ésos.

Gajes del oficio, pensé; así son las cosas. Pero aquella concreta sucedía en medio de un agua cenagosa de catorce centímetros de profundidad, y la rueda de repuesto, que iba colocada debajo de la cabina, había quedado sumergida en el barro. Las herramientas que necesitaba las había guardado debajo del suelo, bajo la mesa, así que tenía que desmontar toda la carga. El nuevo gato, que no había utilizado nunca y que relucía con la pintura de fábrica, estaba muy duro y se mostraba rebelde, y no estaba diseñado para fijarlo a Rocinante. Me tumbé boca abajo y fui avanzando, nadando por debajo de la camioneta, procurando apartar las narices de la superficie del agua. El mango del gato estaba resbaladizo de barro grasiento. Se me formaron en la barba bolas de cieno. Jadeé allí debajo como un pato herido, maldiciendo quedamente mientras iba poco a poco encajando el gato por debajo de un eje que tuve que localizar al tacto, pues estaba sumergido en el agua. Luego, con gruñidos y burbujeos sobrehumanos, los ojos empezando a salirse de las órbitas, fui levantando aquel gran peso. Tenía la sensación de que se me desgarraban los músculos y se separaban del anclaje de los huesos. Al cabo de no más de una hora en tiempo real tenía colocada la rueda de repuesto. Estaba irreconocible, cubierto por varias capas de barro amarillo. Tenía cortes en las manos y sangraba. Llevé el neumático que había reventado a un lugar alto y lo examiné. El reventón abarcaba toda la pared lateral. Luego examiné el neumático izquierdo de atrás y vi con horror una gran burbuja de goma en un lado y otra más allá. Era evidente que aquel otro neumático podía reventar en cualquier momento, y era domingo y estaba lloviendo y estaba en Oregón. Si reventaba el otro neumático, allí donde estábamos, en una carretera solitaria y lloviendo, no tendría más recurso que echarme a llorar y esperar la muerte. Y quizás algún ave bondadosa pudiese cubrirnos con hojas. Me quité el barro y la ropa al mismo tiempo y me engalané con ropa nueva que se ensució de barro en el proceso.

Ningún coche ha tenido jamás un tratamiento tan obsequioso como tuvo Rocinante mientras avanzábamos por allí pausadamente. Todas las irregularidades de la carretera me afectaban a mí también de un modo doloroso y directo. Íbamos arrastrándonos a no más de ocho kilómetros por hora. Y se cumplió esa vieja ley que dice que cuando necesitas poblaciones están siempre muy lejos. Necesitaba más que una población. Necesitaba dos neumáticos de atrás nuevos y muy resistentes. Los hombres que habían diseñado mi vehículo no habían previsto la carga que llevaría.

Después de cuarenta años en el lastimoso y encharcado desierto sin ninguna nube que nos guiara de día ni ninguna columna de fuego que lo hiciera durante la noche, llegamos a un pueblecito húmedo y silencioso y cuyo nombre no recuerdo porque nunca llegué a saberlo en realidad. Estaba todo cerrado... todo menos una pequeña estación de servicio. El propietario era un gigante con una cicatriz en la cara y un maligno ojo blanco. Si hubiese sido un caballo no lo hubiese comprado. Era un hombre fundamentalmente silencioso.

—Tiene problemas—dijo.

—Y que lo diga. ¿No vende neumáticos?

—Del tamaño de los suyos, no. Tengo que mandar a por ellos a Portland. Podría llamar por teléfono mañana y los recibiría tal vez al día siguiente.

—¿No hay ningún sitio aquí donde pudiera conseguirlos?

—Hay dos. Los dos cerrados. No creo que tengan de ese tamaño. Va a necesitar neumáticos mayores.

Se rascó la barba, examinó detenidamente las burbujas del neumático trasero de la izquierda y las tanteó con un dedo índice que era como una lima. Por último entró en la oficinita que tenía, echó a un lado un revoltillo de forros de freno y correas de ventilador y catálogos y sacó de debajo un teléfono. Y si alguna vez mi fe en la santidad básica de los seres humanos se tambalea, pensaré en aquel hombre de aspecto maligno.

Después de tres llamadas encontró un sitio donde tenían un neumático del tipo y del tamaño que yo necesitaba, pero aquel individuo estaba en una boda y no podía abandonarla para atenderme a mí. Tres llamadas después localizó un rumor de otro neumático, pero estaba a unos trece kilómetros de distancia. Seguía lloviendo. El proceso resultaba interminable porque entre llamada y llamada se formaba una cola de coches que esperaban gasolina y aceite, y todo esto tenía que hacerse con una lentitud mayestática.

Se reclutó finalmente a un cuñado. Tenía una granja a cierta distancia carretera arriba. No quería salir lloviendo como estaba, pero mi santo maligno ejerció sobre él algún tipo de presión. Ese cuñado fue a los dos sitios donde podrían estar los neumáticos, que estaban muy alejados el uno del otro, los encontró y me los trajo. En algo menos de cuatro horas estaba equipado, provisto de neumáticos grandes y muy resistentes que eran de los que deberían haber estado allí desde el principio. Me dieron ganas de arrodillarme en el barro y besar las manos de aquel hombre, pero no lo hice. Le di una propina bastante regia y me dijo:

—No debía haber hecho usted eso. No debe olvidar una cosa—dijo—. Los neumáticos nuevos son más grandes. Van a cambiar la lectura del velocímetro. Irá usted más deprisa de lo que le indique la aguja y si se encontrase con un poli quisquilloso podría empapelarle.

Me sentía tan lleno de humilde agradecimiento que apenas podía hablar. Eso sucedió un domingo en Oregón cuando llovía y ojalá aquel hombre de aspecto maligno de la estación de servicio pueda vivir un millar de años y poblar la tierra con sus vástagos.

En fin, es absolutamente indiscutible que Charley estaba convirtiéndose rápidamente en un especialista en árboles de enorme experiencia. Probablemente podría conseguir un puesto como asesor con la gente de Davies. Pero yo había procurado desde el principio que no recibiese ninguna información sobre las secoyas gigantes. Me parecía que un caniche de Long Island que hubiese hecho sus deberes con la *Sequoia sempervirens* o la *Sequoia gigantia* podría destacarse entre los demás perros... podría ser incluso como aquel Galahad que vio el Grial. La idea es impresionante. Después de esa experiencia Charley podría trasladarse místicamente a otro nivel de existencia, a otra dimensión, lo mismo que las secoyas parecen estar fuera del tiempo y de nuestro pensamiento ordinario. La experiencia podría hasta volverle loco. Había pensado eso. Por otra parte, podría convertirle en un pelma consumado. Un perro con una experiencia como aquélla podría acabar siendo un paria en el sentido más auténtico del término.

Las secoyas, una vez vistas, dejan una marca o crean una visión que permanece con uno siempre. Nadie ha conseguido nunca pintar o fotografiar con éxito una de ellas. La sensación que producen es intransferible. Llega de ellas silencio y sobrecogimiento. No es sólo su talla increíble, ni el color que parece cambiar y modificarse ante tus propios ojos, no, no son como ningún otro árbol que yo conozca, son embajadores de otra época. Tienen el misterio de los helechos que desaparecieron hace un millón de años convirtiéndose en el carbón de la era carbonífera. Poseen una luz y una sombra propias. Hasta los hombres más vanos y más despreocupados e irreverentes se sienten dominados por un asombro y un respeto mágicos ante la presencia de las secoyas. Respeto... ésa es la palabra. Siente uno la necesidad de inclinarse ante unos soberanos indiscutibles. Conozco a estos grandes desde mi más tierna infancia, he vivido entre ellos, he acampado y dormido junto a sus cálidos y monstruosos cuerpos, y pese a la mucha relación que he tenido con ellos no he sido capaz de llegar a menospreciarlos nunca. Y se trata de un sentimiento que no es exclusivamente mío ni mucho menos.

Hace muchos años un recién llegado, un extranjero, se trasladó a mi tierra, cerca de Monterrey. Debían de habérsele embotado y atrofiado los sentidos con el dinero y el conseguirlo. Compró un bosquecillo de árboles de hoja perenne en un hondo valle cerca de la costa y luego, haciendo uso de su derecho de propiedad, los taló y vendió la madera y dejó en el suelo los restos de la carnicería. El asombro y la indignación sobrecogida inundaron el pueblo. No era sólo asesinato sino sacrilegio. Mirábamos a aquel hombre con aversión y estuvo marcado por aquello hasta el día de su muerte.

Muchos de los antiguos bosques han sido talados, por supuesto, pero muchos de esos monumentos majestuosos perviven y pervivirán, por una interesante y buena razón: Estados y gobiernos no podían comprar y proteger esos árboles sagrados. Debido a ello, asociaciones, instituciones e incluso individuos los compraron y los consagraron al futuro. No conozco ningún caso similar. Tal es el efecto de las secoyas sobre la mente humana. Pero, ¿qué efecto producirían en Charley?

Cuando nos acercábamos al país de las secoyas, al sur de Oregón, le mantuve encerrado en la parte de atrás de Rocinante, encapuchado como si dijéramos. Pasé varios bosques y los dejé atrás porque no me parecieron apropiados... y luego en un prado llano junto a un arroyo vimos al abuelo, allí solo, noventa metros de estatura y con el perímetro de una casita de pisos. Las ramas con sus hojas lisas y brillantes no empezaban hasta los cuarenta y cinco metros de altura. Por debajo estaba la columna recta y ligeramente ahusada con su colorido, que pasaba del rojo al morado y al azul. Su noble cima estaba hendida por el rayo de una antigua tormenta. Salí de la carretera y paré a unos quince metros de aquella cosa divina, tan cerca que tuve que echar la cabeza hacia atrás y alzar los ojos hasta la vertical para verle las ramas. Era la ocasión que había estado esperando. Abrí la puerta de atrás y dejé salir a Charley y me quedé observando en silencio, pues aquél podría ser el sueño del cielo de un perro en su expresión máxima.

Charley olfateó y movió el collar. Se acercó a un matorral, colaboró con un arbolito, fue hasta el arroyo y bebió, luego miró a su alrededor buscando nuevas cosas que hacer.

—Charley—le grité—. ¡Mira!

Señalé hacia el abuelo. Él meneó el rabo y bebió otro trago.

—Por supuesto—dije yo—. No levanta la cabeza lo suficiente para ver las ramas que demuestran que es un árbol.

Así que me acerqué a él y le alcé el hocico hasta arriba.

—Mira, Charley. Es el árbol por antonomasia. Es el final de la Búsqueda.

A Charley le dio un ataque de estornudos, como les pasa a todos los perros cuando tienen la cabeza demasiado alta. Sentí la rabia y el odio que se sienten hacia los que no aprecian las cosas, hacia los que a través de la ignorancia destruyen un plan al que se ha asignado un gran valor. Le llevé a rastras hasta el tronco y le froté la nariz contra él. Me miró fríamente, me perdonó y se dirigió hacia una mata de avellano.

—Si supiese que lo hace por maldad o por hacer un chiste—me dije—, lo mataría sin más. Tengo que saberlo sea como sea.

Abrí la navaja, me acerqué al arroyo y corté allí una

rama de un pequeño sauce, una rama en Y bien provista de hojas. Recorté bien los extremos de la rama y aguzé por último la punta, luego me dirigí hacia el sereno abuelo de los titanes y clavé el arbolito en tierra de manera que su verdor descansara contra su enmarañada corteza. Luego llamé con un silbido a Charley, que respondió bastante amigablemente. Me esforcé por no mirarle. Se acercó despreocupadamente hasta que miró el sauce con un principio de sorpresa. Olfateó delicadamente sus hojas recién cortadas y luego ya, después de girarse a un lado y a otro para calcular alcance y trayectoria, disparó.

Me quedé dos días cerca de los cuerpos de los gigantes, y no hubo viajeros, ni grupos cotorreando con cámaras. Hay un silencio de catedral aquí. Tal vez la gruesa y blanda corteza absorba el ruido y cree un silencio. Los árboles se elevan rectos hacia el cenit. No hay horizonte. Amanece temprano y sigue siendo amanecer hasta que el sol está ya alto. Luego el follaje, que tiene un verdor de helecho, filtra desde muy arriba la luz del sol dándole un tono de un dorado verdoso y la distribuye en rayos o más bien en fajas de luz y de sombra. Después de que el sol pasa el cenit es ya la tarde y enseguida el ocaso, con una penumbra susurrante, hasta que vuelve la mañana.

Así es como se modifican el tiempo y las divisiones ordinarias del día. Para mí el amanecer y el oscurecer son periodos silenciosos, y allí en medio de las secoyas casi todo el día es un periodo silencioso. Los pájaros se desplazan en la luz tenue o cruzan como centellas las fajas de sol, pero hacen poco ruido. Bajo los pies hay un colchón de agujas que ha ido depositándose a lo largo de dos mil años. No se puede oír ningún rumor de pisadas en esa gruesa manta. Yo experimento allí una sensación remota y enclaustrada. No se atreve uno a hablar por miedo a alterar algo... ¿qué? He tenido la sensación desde mi más tierna infancia de que en los bosques de secoyas estaba pasando algo, algo de lo que yo no formaba parte. Y por si había olvidado esa sensación, pronto volví a experimentarla.

De noche, la oscuridad es negra... sólo mirando recto

hacia arriba se ve un trozo de gris y una estrella esporádica. Y hay un respirar en el negror, pues esas cosas inmensas que controlan el día y habitan la noche son cosas vivas y tienen presencia, y quizá sentimientos y, en algún punto de las profundidades de la percepción, puede que comunicación. He tenido toda la vida una asociación con estas cosas. (Es curioso que no sirva en este caso la palabra *árboles*.) Puedo aceptarlas y aceptar su poder y su edad porque estuve expuesto a ellas desde la infancia. Por otra parte, la gente que carece de esa experiencia empieza a tener aquí una sensación de desasosiego, de peligro, de estar atrapado, encerrado y abrumado. No es sólo el tamaño que tienen estas secoyas lo que les asusta sino lo extrañas que son. ¿Y por qué no? Son los últimos miembros que quedan de una raza que floreció en cuatro continentes tan atrás en el tiempo geológico como el periodo jurásico. Se han encontrado fósiles de estos ancianos que databan de la era del cretáceo mientras que en el eoceno y el mioceno estaban esparcidos por Inglaterra y el continente europeo y América. Y luego los glaciares fueron bajando y barrieron a los titanes irremisiblemente. Y sólo quedan estos pocos: un recuerdo pasmoso de cómo era el mundo hace mucho. ¿Es posible que no nos guste que nos recuerden que somos muy jóvenes y bisoños en un mundo que era viejo cuando llegamos nosotros a él? ¿Y podría ser que hubiese una firme resistencia a la evidencia de que un mundo vivo seguirá su camino majestuosamente cuando nosotros ya no lo habitemos?

Me resulta difícil escribir sobre mi tierra natal, la California septentrional. Debería ser lo más fácil, porque conocía esa franja orientada hacia el Pacífico mejor que ningún otro lugar del mundo. Pero me parecía no una cosa sino muchas... una impresa encima de la otra hasta que todo se emborrona. El recuerdo de lo que era y de lo que me pasó a mí allí lo deforma todo hasta que llega un momento en que es casi imposible la objetividad. Esta carretera de hormigón de cuatro carriles acuchillada por coches veloces la recuerdo como una pista de montaña tortuosa y estrecha por la que se desplazaban los carros cargados de madera, arrastrados por fuertes mulas. Indicaban su llegada con el dulce y agudo repiqueteo de las campanillas del collar. Esto era una población muy pequeña, un almacén general bajo un árbol y una fragua y un banco enfrente para sentarse y escuchar el estruendo del martillo y el yunque. Ahora se extienden durante kilómetro y medio en todas direcciones casitas, que son todas iguales, sobre todo porque intentan ser diferentes. Eso era una colina boscosa con el verde oscuro intenso de los robles contra la hierba agostada donde cantaban los coyotes las noches de luna. Han cortado la cima y arremete en ella contra el cielo una estación repetidora de televisión que proporciona una imagen nerviosa a miles de casitas amontonadas como afídidos junto a las carreteras.

¿Y no es ésta la queja típica? Nunca me he opuesto al cambio, ni siquiera cuando se le ha llamado progreso, y sin embargo sentía hostilidad hacia los desconocidos que inundaban lo que yo consideraba mi tierra con ruido y estruendo y los inevitables anillos de basura. Y por supuesto aquella gente nueva sentirá hostilidad hacia la gente más nueva aún. Me acuerdo que cuando era niño reaccionábamos con una hostilidad espontánea hacia el forastero. Nosotros que habíamos nacido allí, y nuestros padres también, teníamos un sentimiento extraño de superioridad respecto a los recién llegados, los bárbaros, los *forastieri*, y ellos, los forasteros, sentían hostilidad hacia nosotros y hasta nos hicieron un tosco poema:

> En el cuarenta y nueve vino el minero.
> En el cincuenta y uno vinieron las putas.
> Y cuando se juntaron.
> Hicieron un nativo.

Y nosotros éramos un ultraje para los hispanomejicanos y ellos a su vez para los indios. ¿Podría ser por eso por lo que las secoyas ponen nerviosa a la gente? Aquellos nativos eran árboles adultos cuando se produjo una ejecución política en el Gólgota. Habían avanzado mucho ya hacia la madurez cuando César destruyó la República romana pretendiendo salvarla. Para las secoyas todos son forasteros y bárbaros.

A veces la visión del cambio queda deformada por un cambio que se ha producido en uno mismo. El espacio que parecía tan grande se ha encogido, la montaña se ha convertido en un cerro. Pero eso no es ninguna ilusión en este caso. Recuerdo Salinas, el pueblo en que nací, cuando proclamaba con orgullo una población de cuatro mil ciudadanos. Ahora tiene ochenta mil y sigue creciendo desordenadamente en una progresión matemática: cien mil en tres años y tal vez doscientos mil en diez, sin límite a la vista. Hasta aquellos que disfrutan con los números y a los que les impresiona lo grande están empezando a preocuparse, dándose cuenta poco a poco de que tiene que haber un punto de saturación y que el progreso puede ser una progresión hacia el estrangulamiento. Y no se ha encontrado ninguna solución. No puedes prohibir a la gente que nazca... al menos aún no.

Hablé antes de la aparición de las casas sobre ruedas, la unidad móvil, y de ciertas ventajas de que disfrutaban sus propietarios. Me había dado la impresión de que había muchas en el Este y en el Medio Oeste, pero California las cría como arenques. Hay zonas de parada por todas partes, suben saltando por las laderas de las colinas, se derraman por los lechos de los ríos. Y traen con ellas un problema nuevo. Esta gente se beneficia de todos los servicios locales, los hospitales, las escuelas, protección policial, programas de ayuda social, y hasta ahora no pagan impuestos. Los servicios locales se financian con los impuestos sobre la propiedad inmobiliaria, a los que las casas móviles son inmunes. Es cierto que el estado impone una tasa de matriculación, pero esa tasa no llega a los condados ni a las poblaciones más que para el mantenimiento y la ampliación de la red viaria. Así que los propietarios de bienes inmuebles se encuentran con que tienen que mantener a enjambres de huéspedes y están muy enfadados por ello. Pero nuestra legislación fiscal y nuestra idea de ella se desarrollaron hace mucho. El pensamiento rechaza un impuesto de capitación, un impuesto de servicios. La idea de la propiedad inmueble como fuente y símbolo de la riqueza está profundamente implantada en nosotros. Y ahora un enorme número de personas han hallado un medio de eludirla. Esto podría aplaudirse, puesto que admiramos en general a los que son capaces de eludir los impuestos, si no fuera porque la carga de esa libertad recae con peso creciente sobre otros. Es evidente que dentro de un tiempo muy corto tendrá que establecerse un nuevo tipo de gravamen, porque si no será tan grande el peso sobre la propiedad inmobiliaria que nadie podrá permitírsela; lejos de ser una fuente de beneficios, la propiedad será un castigo, y esto no será más que el ápice de una pirámide de paradojas. Nos hemos visto forzados en el pasado a un cambio renuente por la meteorología, las calamidades y las pestes. Ahora la presión viene de nuestro éxito biológico como especie. Hemos derrotado a todos nuestros enemigos salvo a nosotros mismos.

Cuando yo era niño y vivía en Salinas llamábamos a San Francisco «la Ciudad». Era, por supuesto, la única ciudad que conocíamos, pero yo aún pienso en ella como la Ciudad, y lo mismo hace todo el que haya estado relacionado alguna vez con ella. *Ciudad* es una palabra extraña y selecta. Aparte de San Francisco sólo pequeños sectores de Londres y de Roma se mantienen en la mente como la Ciudad. Los neoyorquinos dicen que van al centro. París no tiene más título que París. Ciudad de México es la Capital.

Yo conocí en tiempos muy bien la Ciudad, pasé mi periodo de buhardilla en ella, mientras otros se dedicaban a ser una generación perdida en París. Me hice hombre en San Francisco, subí sus cuestas, dormí en sus parques, trabajé en sus muelles, me manifesté y grité en sus revueltas. Tuve en cierto modo la sensación de que poseía la ciudad en la misma medida en que ella me poseía a mí.

San Francisco montó un espectáculo en mi honor. La vi desde el otro lado de la bahía, desde la gran carretera que bordea Sausalito y entra en el puente de Golden Gate. El sol de la tarde la pintaba de blanco y oro, alzándose sobre sus colinas como una ciudad noble en un sueño feliz. Una ciudad edificada sobre colinas está por encima de los sitios llanos. Nueva York se fabrica sus propias colinas con edificios larguiruchos, pero aquella acrópolis en blanco y oro que se alzaba ola tras ola contra el azul del cielo del Pacífico era una cosa pasmosa, una cosa pintada como una foto de una ciudad italiana medieval que no puede haber existido jamás. Me detuve en un espacio de aparcamiento para verla y para ver el puente de collar sobre la entrada desde el mar que llevaba a ella. Por encima de las verdes colinas, más altas hacia el sur, rodaba la niebla vespertina como un rebaño de ovejas que viniesen a guarecerse al redil de la ciudad dorada. Nunca me ha parecido tan encantadora como ese día. Cuando de niño iba a ir a la Ciudad, no podía dormir varias noches antes por la emoción explosiva que sentía. Es una ciudad que deja marca.

Luego crucé el gran arco que cuelga de sus filamentos y llegué a la ciudad que tan bien conocía.

Seguía siendo la Ciudad que recordaba yo, tan segura de su grandeza que puede permitirse ser amable. Había sido amable conmigo en los tiempos de mi pobreza y no le inspiró la menor hostilidad mi solvencia temporal. Podría haberme quedado indefinidamente, pero tenía que ir a Monterrey para enviar mi voto por correo.

Cuando yo era joven todo el mundo era republicano en el condado de Monterrey, que está a unos ciento sesenta kilómetros al sur de San Francisco. Mi familia era republicana. Podría haber seguido siéndolo si me hubiese quedado allí. Si me recreo en la historia política personal es porque creo que mi experiencia puede que no sea única.

Llegué a Monterrey y empezó la lucha. Mis hermanas siguen siendo republicanas. Dicen que la guerra civil es la más ponzoñosa y apasionada de todas. Soy capaz de hablar de política fría y analíticamente con desconocidos. Eso no era posible con mis hermanas. Acabábamos cada sesión jadeando y agotados de rabia. No éramos capaces de ponernos de acuerdo en ningún punto. No se pedía cuartel jamás ni se otorgaba.

«Vamos a ser cordiales y cariñosos. Nada de política esta noche», prometíamos todos los días. Y al cabo de diez minutos estábamos chillándonos.

—John Kennedy era un tal y un cual...

—Bueno, si ésa es tu actitud, ¿cómo puedes aceptar a Dick Nixon?

—Bueno, tranquilicémonos. Somos gente razonable. Analicemos esto.

—Ya lo he analizado. ¿Y el whisky qué?

—Bueno, si adoptas esa posición, ¿qué me dices de la tienda de Santa Ana? ¿Qué me dices de Checkers, bonita mía?

—Papá se revolvería en su tumba si te oyese.

—No, no le metas en esto, hoy él sería demócrata.

—Escucha. Bobby Kennedy anda por ahí comprando sacos llenos de votos.

—¿Quieres decir que ningún republicano compró jamás un voto? No me hagas reír.

Era amargo y era interminable. Desenterramos insultos y armas de convención obsoletos para lanzárnoslos.

—Hablas como un comunista.

—Y tú recuerdas sospechosamente a Gengiskán.

Era horroroso. Si nos hubiese oído un desconocido habría llamado a la policía para evitar el derramamiento de sangre. Y no creo que fuéramos los únicos. Creo que estaba pasando lo mismo en todo el país en privado. La nación sólo debía de estar cohibida en el ámbito público.

El propósito principal del regreso a casa parecía ser pelearse por la política, pero en los intermedios visité viejos sitios. Hubo una reunión conmovedora en el bar de Johnny García en Monterrey, con lágrimas y abrazos, discursos y palabras cariñosas en el *poco* español de mi juventud. Estaban allí los indios de Jolón a los que recordaba como *chamaquitos.* Se esfumaron los años. Bailamos protocolariamente, las manos cogidas atrás. Y cantamos el himno del condado meridional: «Había un joven de Jolón, que estaba harto de que le dejaran solo. Fue a la Gran Ciudad a conseguir una cosa bonita. *Puta chingada cabrón*». Hacía años que no lo oía. Fue una semana de vuelta a casa. Los años se metieron otra vez en sus agujeros. Era en Monterrey donde ponían juntos en la plaza un toro bravo y un oso, un lugar de violencia dulce y sentimental, y una sabia inocencia aún desconocida y en consecuencia no ensuciada por mentes sin pañales.

Nos sentamos en la barra y Johnny García nos miró con sus ojos de gallego arrasados por las lágrimas. Tenía la camisa desabotonada y una medalla de oro colgando al cuello de una cadena. Se inclinó por encima de la barra y le dijo al que tenía más cerca:

—¡Mírala! Aquí Juanito me la dio hace años, la trajo de México... la Morena, La Virgencita de Guadalupe, ¡y mira! Dio vuelta al óvalo de oro.

—Mi nombre y el suyo—añadí yo.

—Escritos con un alfiler. No me la he quitado nunca —dijo Johnny.

Un *paisano* grande y moreno al que yo no conocía se puso en la baranda y se inclinó sobre la barra. «*¿Por favor?*» pidió, y tiró de la medalla sin mirar a Johnny; la besó y dijo: «*Gracias*» y se fue raudo por las puertas de vaivén.

A Johnny se le hinchó el pecho de emoción y se le humedecieron los ojos.

—Juanito—dijo—. ¡Vente a casa! Vuelve con los amigos. Te queremos. Te necesitamos. Éste es tu sitio, *compadre*, no lo dejes vacío.

He de admitir que sentí la antigua oleada de amor y oratoria y no tengo ni una gota de sangre gallega.

—*Cuñado mío*—dije con tristeza—. Ahora vivo en Nueva York.

—No me gusta Nueva York—dijo Johnny.

—No has estado nunca allí.

—Ya lo sé. Por eso es por lo que no me gusta. Tienes que volver. Tú perteneces a esto.

Bebí prolongadamente y maldita sea si no me encontré de pronto haciendo un discurso. Las antiguas palabras tanto tiempo en desuso volvieron tintineantes a mí.

—Que tu corazón tenga oídos, tío mío, amigo mío. No somos ya crías de mofeta, tú y yo. El tiempo ha resuelto alguno de nuestros problemas.

—Silencio—dijo él—. No quiero oírlo. No es verdad. A ti aún te gusta el vino, aún te gustan las chicas. ¿Qué ha cambiado? Te conozco. *No me cagas, niño.*

—*Te cago nunca.* Hubo un gran hombre llamado Thomas Wolfe y él escribió un libro titulado *No puedes volver a casa.* Y eso es verdad.

—Mentiroso—dijo Johnny—. Ésta es tu cuna, tu hogar.

De pronto golpeó la barra con el bate de béisbol de

roble de interior que utilizaba para poner paz cuando había discusiones.

—A su debido tiempo, quizá de aquí a cien años, ésta debería ser tu tumba.

Le cayó el bate de la mano y lloró ante la perspectiva de mi futuro fallecimiento. También me afectó a mí la perspectiva.

Contemplé mi vaso vacío.

—Estos gallegos no tienen modales.

—Oh, por amor de Dios—dijo Johnny—. ¡Oh, perdóname!

Y nos sirvió otra ronda.

La hilera de la barra estaba silenciosa ya, caras oscuras con una cortés ausencia de expresión.

—Por tu llegada a casa, *compadre*—dijo Johnny—. Juan el Bautista, saca el demonio de esas papas fritas.

—*Conejo de mi Alma*—dije—. Conejo de mi alma, escúchame.

El hombre oscuro grande entró de la calle, se apoyó en la barra, besó la medalla de Johnny y volvió a salir.

—Hubo un tiempo en que se sabía escuchar a un hombre. ¿He de comprar una entrada? ¿Necesito una reserva para poder contar una historia?

Johnny se volvió hacia la barra silenciosa.

—¡Silencio!—dijo ferozmente y alzó el bate de béisbol de interior.

—Ahora te diré cosas verdaderas, cuñado. Sal a la calle: desconocidos, forasteros, extranjeros, miles de ellos. Mira las colinas, un palomar. Hoy recorrí toda Alvarado Street y volví por la *Calle Principal* y no vi más que desconocidos. Esta tarde me perdí en Peter's Gate. Volví al Field of Love detrás de la casa de Joe Duckworth, junto al Ball Park. Es un depósito de coches usados. Tengo los nervios destrozados de las luces del tráfico. Hasta los policías son de fuera, extranjeros. Fui a Carmel Valley donde en otros tiempos podíamos disparar un treinta-treinta en cualquier dirección. Ahora no podrías tirar una canica sin herir a un extranjero. Y Johnny, a mí no me importa la gente, tú ya lo sabes. Pero ésos son gente rica. Ponen geranios en grandes tiestos. Piscinas donde solían esperarnos las ranas y los cangrejos. No, mi capruno amigo. Si ésta fuese mi tierra, ¿me perdería en ella? Si ésta fuese mi tierra ¿podría recorrer las calles sin oír ninguna bendición?

Johnny estaba despreocupadamente desplomado sobre la barra.

—Pero aquí, Juanito, es igual que siempre. Nosotros no les dejamos entrar.

Recorrí la hilera de rostros.

—Sí, aquí es mejor. ¿Pero puedo vivir en el taburete de una barra? No nos engañemos. Lo que conocimos está muerto, y tal vez esté muerta la mayor parte de lo que fuimos. Lo que hay ahí fuera es nuevo y tal vez bueno, pero no es nada que conozcamos.

Johnny se sujetaba las sienes con las manos y tenía los ojos inyectados de sangre.

—¿Dónde están los grandes? Dime, ¿dónde está Willie Trip?

—Muerto—dijo huecamente Johnny.

—¿Dónde están Pilon, Johnny, Pom Pom, Miz Graa, Stevie Field?

—Muerto, muerto, muerto—repitió.

—¿Ed Ricketts, Los Números uno y dos de Whitey, dónde están Sonny Boy, Ankle Varney, Jesús María Corcorán. Joe Portagee, Shorty Lee, Flora Wood y aquella chica que guardaba arañas en el sombrero?

—Muertos... todos muertos—gimió Johnny—. Es como si estuviésemos en un cubo de fantasmas.

—No, no son verdaderos fantasmas. Los fantasmas somos nosotros.

Entró el hombre oscuro y grande y Johnny le acercó la medalla para que la besara sin que se lo pidiera.

Luego se volvió y caminó abriendo mucho las piernas hasta el espejo de la barra. Se examinó la cara un momento, cogió una botella, la descorchó, la olió, probó. Luego se miró las uñas. Hubo un estremecimiento inquieto a lo largo de la barra, se encogieron hombros, se descruzaron piernas.

«Va a haber problemas», me dije.

Johnny volvió y posó delicadamente la botella en la barra entre nosotros dos. Tenía los ojos muy abiertos y con un brillo ensoñador. Movió la cabeza.

—Creo que ya no te gustamos. Creo que puede que seas demasiado importante para nosotros.

Las yemas de sus dedos interpretaban lentos acordes sobre un teclado invisible de la barra.

Durante un instante nada más sentí la tentación. Oí el clamor de trompetas y el estruendo de armas. Pero demonios, soy demasiado viejo para eso. Alcancé la puerta de dos zancadas. Me volví y dije:

—¿Por qué te besa la medalla?

—Está haciendo apuestas.

—Vale. Hasta mañana, Johnny.

La puerta doble se cerró a mi espalda. Estaba en Alvarado Street, acuchillada por luces de neón... y no había más que desconocidos a mi alrededor.

No le hecho justicia a la península de Monterrey en esta oleada de resentimiento nostálgico. Es un lugar bello, limpio, bien administrado y progresista. Las playas que antes estaban infestadas de tripas de peces y de moscas están hoy limpias. Las fábricas de conservas que antaño despedían un hedor repugnante han desaparecido, ocupando sus lugares restaurantes, tiendas de antigüedades y cosas parecidas. Ahora pescan turistas, no sardinas, y esa especie no es probable que se extinga. Y Carmel, que fundaron escritores muertos de hambre y pintores rechazados, es hoy una comunidad de los acomodados y jubilados. Si los fundadores de Carmel volvieran, no podrían permitirse vivir allí. Aunque no llegaría a plantearse siquiera semejante cosa, porque si se acercasen hoy allí los detendrían inmediatamente como personajes sospechosos y los deportarían al otro lado del límite de la ciudad.

Mi ciudad natal había cambiado y yo, al haberme ido, no había cambiado con ella. En mi recuerdo se alzaba como antaño y su apariencia exterior me desconcertaba y me enfurecía.

Lo que estoy a punto de contar debe ser la experiencia de muchos habitantes de este país, donde hay tantos que vagabundean y regresan. Visité a viejos y apreciados amigos. Me pareció que su cabello había retrocedido un poco más que el mío. Los saludos fueron entusiastas. Brotaron abundantes los recuerdos. Se sacaron a colación y se desempolvaron viejos crímenes y viejos triunfos. Y de pronto mi atención se desvió, y mirando a mi antiguo amigo vi que también la suya se desviaba. Lo que le había dicho a Johnny García era verdad: el fantasma era yo. Mi pueblo había crecido y cambiado y mi amigo con él. Al volver entonces, tan cambiado para mi amigo como lo estaba para mí mi ciudad, deformaba su cuadro, le enturbiaba el recuerdo. Al irme había muerto, y me había quedado por tanto fijado e invariable. Mi regreso sólo provocaba confusión y desasosiego. Aunque no llegasen a decirlo, mis viejos amigos querían que me fuera para que pudiera ocupar el lugar que me correspondía en el esquema del recuerdo... y yo quería irme por la misma razón. Tom Wolfe tenía razón. No puedes volver a casa porque la casa ha dejado de existir salvo en las bolas de naftalina del recuerdo.

Mi marcha fue una huida. Pero hice una cosa solemne y sentimental antes de volver la espalda. Subí hasta Fremont's Peak, el punto más alto en muchos kilómetros a la redonda. Escalé a pie las últimas rocas puntiagudas hasta la cima. Allí, entre aquellos afloramientos ennegrecidos de granito, había plantado cara el general Frémont a un ejército mexicano y lo había derrotado. Cuando yo era un muchacho encontrábamos de vez en cuando balas de cañón y bayonetas oxidadas en aquella zona. Desde ese pico de piedra solitario se domina la totalidad de mi infancia y de mi juventud, el gran valle de Salinas, que se extiende hacia el sur casi ciento sesenta kilómetros, la ciudad de Salinas donde nací, que se extiende ya como hierba cangrejera hacia las estribaciones. Monte Toro, en la cordillera hermana, hacia el oeste, era una amable montaña redondeada, y al norte relumbraba como una bandeja azul la bahía de Monterrey. Sentía y olía y oía soplar el viento que subía del largo valle. Olía a las colinas pardas de avena loca.

Recordé cómo en otros tiempos, en esa parte de la juventud que está profundamente preocupada por la muerte, quise una vez que me enterraran en aquel pico donde podría ver sin ojos todo lo que conocía y amaba, pues en aquellos tiempos no había ningún mundo más allá de las montañas. Y recordé el hondo sentimiento que me causaba la idea de mi sepelio. Es extraño y quizás afortunado que cuando uno se acerca más por los años a la muerte disminuya el interés por ella al convertirse en un hecho en vez de un ritual pomposo. Allí en aquellas altas peñas volvió a mí el recuerdo mítico. Charley, después de explorar la zona, se sentó a mis pies, los flecos de sus orejas moviéndose al viento como colada en un tendal. Su nariz, húmeda de curiosidad, olfateaba los mensajes que traía el viento desde más de un centenar y medio de kilómetros.

—Tú no sabías, Charley mío, que precisamente ahí abajo, en ese vallecito, pesqué yo truchas con tu homónimo, mi tío Charley. Y allí, mira, dónde estoy señalando, mató mi madre de un tiro un gato montés. Allí abajo en línea recta, a unos setenta kilómetros de distancia, estaba el rancho de nuestra familia... el viejo rancho del hambre. ¿Ves aquel sitio oscuro de allí? Bueno, pues es un pequeño cañón con un delicioso riachuelo de aguas claras bordeado de azaleas silvestres y con grandes robles alineados en sus orillas. Y en uno de esos robles grabó mi padre su nombre con un hierro al rojo junto con el nombre de la chica que amaba. Con el paso de los años volvió a crecer la corteza por encima de lo grabado y lo tapó. Y hace poco un hombre cortó el roble para leña y su cuña dejó al descubierto el nombre de mi padre y ese hombre me lo envió. En la primavera, Charley, cuando el valle está alfombrado de altramuces azules como un mar florido, se aprecia aquí arriba el aroma del cielo.

Lo imprimí una vez más en mis ojos, sur, oeste y norte, y luego abandonamos rápidamente el pasado permanente e invariable donde mi madre está siempre abatiendo de un tiro un gato montés y mi padre está siempre grabando a fuego su nombre y el de su amor.

Sería agradable poder decir de mis viajes con Charley: «Salí a buscar la verdad sobre mi país y la encontré». Y luego sería una tarea tan fácil escribir mis hallazgos y retreparme cómodamente con la magnífica sensación de haber descubierto verdades y habérselas transmitido a mis lectores. Ojalá fuese tan fácil. Pero lo que llevaba en mi cabeza y, más profundo aún, en mis percepciones era un barril de gusanos. Descubrí hace mucho recogiendo y clasificando animales marinos que lo que encontraba estaba estrechamente entremezclado con cómo me sentía en ese momento. La realidad externa sabe no ser tan externa después de todo.

Este monstruo de país, esta nación que es la más poderosa de todas, esta progenie del futuro, resulta ser el macrocosmos del yo microcósmico. Si un inglés o un francés o un italiano viajasen siguiendo mi ruta, viesen lo que yo vi, oyesen lo que oí, las imagenes que habrían almacenado no sólo serían distintas de las mías sino también diferentes de uno a otro. Si otro estadounidense al leer esta crónica la creyese cierta, esa coincidencia de pareceres sólo significaría que somos semejantes en nuestra americanidad.

No encontré en ninguna parte desconocidos. Si los hubiese encontrado podría ser capaz de informar sobre ellos más objetivamente. Pero ésta es mi gente y éste mi país. Si encontré cosas que criticar y que deplorar eran tendencias presentes igualmente en mí mismo. Si hubiese de exponer una consideración general inmaculadamente revisada sería ésta: Pese a todo nuestro enorme ámbito geográfico, pese a todo nuestro faccionalismo, pese a todas nuestras razas entretejidas procedentes de todos los sectores del mundo étnico, somos una nación, una nueva raza. Los estadounidenses son mucho más estadounidenses que norteños, sureños, del Oeste o del Este. Y los descendientes de ingleses, irlandeses, italianos, judíos, alemanes, polacos son esencialmente estadounidenses. Esto no es un hurra patriótico; es un hecho meticulosamente comprobado. El chino de California, el irlandés de Boston, el alemán de Wisconsin, sí, y los negros de Alabama, tienen más en común de lo que los separa. Y esto es aún más notable por lo rápido que ha sucedido. Es un hecho que estadounidenses de todos los sectores y de todos los orígenes raciales son más parecidos de lo que lo son los galeses y los ingleses, el habitante de Lancashire y el de los barrios bajos de Londres, o incluso el escocés de las llanuras y el de las montañas. Es asombroso que haya sucedido esto en menos de doscientos años y la mayor parte de ello en los últimos cincuenta. La identidad estadounidense es una cosa demostrable y precisa.

Al iniciar mi viaje de regreso me di cuenta de que no podía verlo todo. Mi placa de gelatina impresionable se estaba enturbiando. Decidí inspeccionar dos sectores más y luego darlo por acabado: Texas y una muestra del Sur Profundo. Me parecía, por mis lecturas, que Texas está emergiendo como una fuerza independiente y que el Sur se halla en los dolores del parto de su futuro hijo aún nonato. Y a mí me ha parecido que se trata de un parto tan arduo que se ha olvidado al niño.

Este viaje ha sido como una comida completa de varios platos puesta delante de un hambriento. Al principio intenta comerlo todo de todo, pero a medida que va comiendo se da cuenta de que debe olvidar algunas cosas para conservar el apetito y las papilas gustativas funcionando.

Saqué a Rocinante de California por la ruta más corta posible: una ruta que conocía bien de los viejos tiempos de la década de 1930. De Salinas a Los Baños, pasando por

Fresno y Bekersfield, luego cruzando el puerto y entrando en el desierto de Mojave, un desierto requemado y ardiente incluso a aquellas alturas del año, sus colinas como pilas de cenizas negras a lo lejos y el suelo con los surcos de las rodadas secado por la avidez de un sol hambriento. Es bastante fácil cruzarlo ahora, con la vía de alta velocidad, en un coche cómodo y seguro, con sitios para parar a la sombra y todas las estaciones de servicio haciendo alarde de su refrigeración. Pero aún recuerdo cuando entrábamos en él rezando, con el oído atento a posibles problemas en nuestros viejos y forzados motores, con un penacho de vapor saliendo del radiador que hervía. Entonces el que se quedaba averiado al borde de la carretera tenía un verdadero problema si no paraba alguien a ofrecer ayuda. Y nunca lo he cruzado sin compartir algo con aquellas primeras familias que avanzaban arrastrando los pies por ese infierno terrestre, dejando esos blancos esqueletos de caballos y vacas que aún señalan el camino.

El Mojave es un desierto grande y aterrador. Es como si la naturaleza hubiese querido poner a prueba la resistencia y la tenacidad de un hombre para comprobar si era lo suficientemente bueno para llegar a California. El calor seco y relumbrante formaba visiones de agua sobre la lisa llanura. Y las colinas que señalan los límites retroceden ante ti hasta cuando vas a gran velocidad. Charley, siempre un perro de agua, jadeaba asmáticamente, estremeciendo todo el cuerpo con el esfuerzo, y le colgaban sus buenos veinte centímetros de lengua, plana como una hoja y goteante. Salí de la carretera hacia un pequeño barranco para darle agua de mi depósito de ciento trece litros. Pero antes de dejarle beber le eché un poco por encima y me mojé el pelo y los hombros y la camisa. La atmósfera es tan seca allí que la evaporación te hace sentir de pronto frío.

Abrí una lata de cerveza de la nevera, me senté bien dentro de la sombra de Rocinante y contemplé la llanura batida por el sol, salpicada aquí y allá de matas de salvia.

A unos cincuenta metros de distancia había dos coyotes

observándome, el pelo pardo fundido con la arena y el sol. Sabía que ante cualquier movimiento mío brusco o sospechoso podrían sumergirse en la invisibilidad. Con la parsimonia más despreocupada cogí mi nuevo rifle, un 222, con sus amargos y pequeños aguijones de largo alcance y alta velocidad. Lo alcé muy despacio. Es posible que allí a la sombra de mi casa quedase medio oculto por la luz cegadora de fuera. El riflecito tenía una magnífica mira telescópica con un campo de visión amplio. Los coyotes no se habían movido.

Los situé a ambos en el campo de la mira y el cristal los trajo muy cerca. Tenían los dos la lengua colgando de tal manera que parecía que estuviesen sonriendo burlonamente. Eran animales bien tratados, no estaban hambrientos, tenían la piel lustrosa, el pelo dorado suavizado con salpicaduras de otro negro más largo. Se veían claramente en el cristal los ojillos de color amarillo limón. Desplacé los pelos cruzados de la mira hasta el pecho del animal de la derecha y retiré el seguro. Tenía los codos apoyados en la mesa, lo que fijaba el rifle. Los pelos cruzados de la mira se quedaron inmóviles sobre el pecho. Y entonces el coyote se sentó como un perro y alzó la pata derecha de atrás para rascarse en la paletilla derecha.

Mi dedo se resistía a tocar el gatillo. Debo estar haciéndome muy viejo y debe estar esfumándose ya mi antiguo condicionamiento. Los coyotes son alimañas. Roban gallinas. Diezman las filas de las codornices y de todas las demás aves de caza. Hay que matarlos. Son el enemigo. Mi primer tiro abatiría al animal sentado, y el otro se giraría y desaparecería. Podría muy bien abatirlo con un tiro sobre la marcha porque soy un buen tirador.

Y no disparé. Mi adiestramiento me decía: «¡Tira!» y mi edad replicaba: «No hay gallinas en cincuenta kilómetros a la redonda, y si las hubiese no serían mías. Y esta zona sin agua no es zona de codornices. No, estos muchachos guardan la línea con ratas canguro y conejos y eso es alimaña que devora a alimaña. ¿Por qué he de entrometerme yo?».

«Mátalos—me decía mi adiestramiento—. Todo el mundo los mata. Es un servicio público». Moví el dedo hacia el gatillo. La cruz seguía firme sobre el pecho, justo debajo de la lengua jadeante. Podía imaginar el revuelo y la sacudida del acero furioso, el salto y la lucha hasta que fallase el corazón roto, y luego, no demasiado tiempo después, la sombra de un buitre, y de otro. Por entonces yo ya me habría ido haría mucho... estaría fuera del desierto y al otro lado del río Colorado. Y al lado de la salvia habría un cráneo pelado y sin ojos, unos cuantos huesos picoteados, una mancha de sangre seca ennegrecida y unos cuantos jirones de piel dorada.

Supongo que soy demasiado viejo y demasiado perezoso para ser un buen ciudadano. El segundo coyote se mantenía ladeado respecto a mi rifle. Desplacé los pelos cruzados hacia su omoplato y los inmovilicé allí. No se podía fallar con aquel rifle y a aquella distancia. Tenía a los dos animales en mi poder. Sus vidas eran mías. Eché el seguro y dejé el rifle en la mesa. Sin la mira telescópica, los animales no estaban tan íntimamente próximos. La arremetida ardiente de la luz alborotaba el aire y lo hacía temblar.

Entonces recordé una cosa que había oído hacía mucho y que tenía la esperanza de que fuese cierta. Según me explicó mi informante, en China existía una ley no escrita de acuerdo con la cual cuando un hombre le salvaba la vida a otro pasaba a ser responsable de esa vida hasta el final de su existencia. Pues el salvador había alterado el curso de los acontecimientos y no podía eludir su responsabilidad. Y a mí eso me ha parecido siempre muy razonable.

Así que tenía ya una cierta responsabilidad en relación con dos coyotes sanos y vivos. En el mundo delicado de las relaciones estamos vinculados para siempre. Abrí dos latas de comida de perro y las dejé allí como un exvoto.

He cruzado en coche el Suroeste muchas veces, y lo he cruzado en avión más veces aún: es un páramo grande y misterioso, un lugar castigado por el sol. Es un misterio, algo escondido y que espera. Parece desierto, libre del hombre parasitario, pero eso no es del todo cierto. Sigue la línea doble de rodadas a través de arena y roca y encontrarás una morada humana acurrucada en algún sitio protegido, con unos cuantos árboles apuntando con las raíces hacia el agua subterránea, una parcela de calabazas y de famélico maíz y tiras de cecina colgando de una cuerda. Hay una raza de hombres del desierto que no es que se oculten exactamente sino que buscan refugio de los pecados de la confusión.

De noche, en esa atmósfera sin agua, las estrellas descienden hasta quedar prácticamente al alcance de tus dedos. En un lugar así vivían los eremitas de la iglesia primitiva, que se adentraban en el infinito con mentes puras. Parece que los grandes conceptos de unidad y de orden majestuoso han nacido siempre en el desierto. El conteo silencioso de las estrellas, y la observación de sus movimientos, vino primero de lugares desiertos. He conocido hombres del desierto que elegían sus lugares con una pasión tranquila y sosegada, rechazando el nerviosismo de un mundo con agua. Estos hombres no han cambiado con los tiempos explosivos salvo para morir y ser sustituidos por otros que son como ellos.

Y siempre hay misterios en el desierto, historias que se cuentan una y otra vez de lugares secretos de las montañas del desierto donde sobreviven clanes de una época más antigua que están esperando para reaparecer. Estos grupos suelen guardar tesoros que no han podido descubrir las oleadas de conquistadores, los artefactos dorados de un arcaico Moctezuma o una mina tan rica que su descubrimiento cambiaría el mundo. Si un desconocido descubre su existencia, le matan o le absorben de tal manera que nunca se le vuelve a ver. Estas historias tienen un esquema inmune a la pregunta: ¿Si nadie regresa, cómo se sabe que está allí? Bueno, está allí, no hay duda, pero si lo encuentras nunca te encontrarán.

Y hay otra historia monolítica que nunca cambia. Dos buscadores de minas que son socios descubren una de riqueza prodigiosa (de oro, de diamantes o de rubíes). Se cargan con muestras, todo lo que pueden llevar, y se graban en el pensamiento el lugar mediante hitos que definen toda la zona. Luego, cuando salen hacia el otro mundo, uno de ellos muere de sed y de agotamiento, pero el otro sigue arrastrándose, deshaciéndose de la mayor parte del tesoro porque está ya demasiado débil para poder llevarlo. Llega por último a un lugar habitado, o le encuentran si no otros buscadores. Éstos examinan las muestras y se emocionan mucho. A veces en esta historia muere el superviviente después de dar instrucciones a los que le encuentran; en otras ocasiones logra recuperarse y reponer sus fuerzas. Entonces parte en busca del tesoro una expedición bien equipada, pero el tesoro no puede volver a encontrarse nunca. Éste es el final invariable de la historia: no vuelve a encontrarse nunca. He oído ese relato muchas veces y siempre es así. En el desierto hay alimento para el mito, pero el mito ha de tener en alguna parte sus raíces de realidad.

Y hay verdaderos secretos en el desierto. En la guerra del sol y de la sequía contra los seres vivos, la vida tiene sus secretos de supervivencia. La vida, sea cual sea su nivel, desaparece si no dispone de humedad. A mí me parece muy interesante la conspiración de la vida en el desierto para eludir los rayos mortíferos de un sol que lo domina todo. La tierra batida parece derrotada y muerta, pero lo parece sólo. Una organización inmensa e ingeniosa de materia viviente sobrevive aunque parezca haber perdido. La salvia gris y polvorienta lleva una armadura oleaginosa para proteger su pequeña humedad interior. Algunas plantas se atiborran de agua en los raros chaparrones y la almacenan para uso futuro. La vida animal lleva una piel dura, seca, o un esqueleto exterior para combatir la desecación. Y todos los seres vivos han desarrollado técnicas para encontrar o crear sombra. Los reptiles y roedores pequeños excavan o se deslizan bajo la superficie o se aferran a la parte sombreada de un afloramiento. El movimiento es lento para ahorrar energía, y es raro el animal que puede desafiar o que desafía mucho tiempo al sol. Una serpiente de cascabel morirá en una hora a pleno sol. Algunos insectos de audaz inventiva han ideado sistemas personales de refrigeración. Aquellos animales que necesitan absorber humedad la obtienen de segunda mano: un conejo de una hoja, un coyote de la sangre de un conejo.

Durante el día puede ser totalmente imposible encontrar una criatura viva, pero cuando se va el sol y da permiso a la noche, despierta un mundo de criaturas que adopta su compleja pauta. Salen entonces los cazados y los cazadores, y los cazadores de los cazadores. La noche despierta con zumbidos y gritos y ladridos.

Cuando surgió, muy tarde en la historia de nuestro planeta, el increíble accidente de la vida, se produjo en la retorta del tiempo un equilibrio tan delicado de factores químicos en cantidades y géneros, junto con una determinada temperatura, como para parecer improbable, y apareció una cosa nueva, blanda y desvalida y desprotegida en el mundo salvaje de la no vida. Luego se produjeron procesos de cambio y variación en los organismos, de manera que cada género pasó a diferenciarse de todos los demás. Pero hay un ingrediente, quizás el más importante de todos, que está implantado en todas las formas de vida: el factor de supervivencia. Ningún ser vivo carece de él, ni podría existir vida sin esa fórmula mágica. Por supuesto, cada forma desarrolló su propia maquinaria de supervivencia, y algunas fracasaron y desaparecieron mientras otras poblaban la tierra. La primera podría fácilmente haber sido sofocada y no haberse vuelto a producir jamás el accidente: pero, una vez que existió, su primera cualidad, su deber, su preocupación, dirección y fin, compartidos por todo ser vivo, fue seguir viviendo. Y eso hace y eso hará hasta que algún otro accidente se lo impida. Y el desierto, el desierto seco y azotado por el sol, es una buena escuela para observar la astucia y la infinita variedad de las técnicas de supervivencia frente a una oposición implacable. La vida no podía cambiar el sol o regar el desierto, así que se modificó ella.

El desierto, al ser un lugar no deseado, es muy posible que sea la última trinchera de la vida frente a la no vida. Pues en las zonas ricas y húmedas y deseadas del mundo, la vida se amontona contra sí misma y se ha aliado al final en su confusión con la no vida enemiga. Y lo que no han conseguido hacer las armas abrasadoras, achicharrantes, heladoras, envenenadoras de la no vida pueden lograrlo hasta el punto final de su destrucción y extinción las propias tácticas de supervivencia degeneradas. Si la más versátil de las formas de vida, la humana, lucha hoy por la supervivencia como ha hecho siempre, no sólo puede eliminarse ella misma sino que puede eliminar toda la otra vida. Y, si sucediese eso, los lugares no deseados como el desierto podrían ser la áspera madre de la repoblación. Pues los habitantes del desierto están bien adiestrados y bien armados frente a la desolación. Hasta nuestra propia especie extraviada podría resurgir del desierto. El hombre solitario y su esposa atezada por el sol que se aferran a la sombra en un lugar estéril y desdeñado podrían, con sus hermanos de armas, el coyote, la liebre, el sapo cornudo, la serpiente de cascabel, junto con una hueste de insectos acorazados, esos fragmentos de vida adiestrados y probados, podrían muy bien ser la última esperanza de la vida frente a la no vida. El desierto ha engendrado cosas mágicas antes de esto.

Hace mucho ya hablé de los cambios en las fronteras de los estados, los cambios en el inglés de carretera, en las formas de prosa de los letreros, los cambios en las velocidades permitidas. Los derechos de los estados garantizados por la Constitución parece que se ejercen de una forma alegre y apasionada. En California se registran los vehículos buscando frutas y verduras que pudiesen portar insectos o enfermedades, y se aplican las normas correspondientes con una pasión casi religiosa.

Hace unos años conocí a una alegre e ingeniosa familia de Idaho. Esta familia decidió visitar a unos parientes que tenía en California, así que cargaron un camión de patatas con la idea de ir vendiéndolas a lo largo del trayecto para contribuir así a los gastos del viaje. Se habían deshecho ya de la mitad de su carga cuando les pararon en la frontera de California y les prohibieron entrar con las patatas. No tenían capacidad económica para abandonarlas, así que instalaron su campamento alegremente allí en la frontera del estado, donde comieron patatas, las vendieron y las intercambiaron por otros artículos. Al cabo de dos semanas el camión estaba ya vacío. Pasaron entonces la aduana sin problema y continuaron su camino.

La separación de los estados, que ha sido calificada amargamente de balcanización, crea muchos problemas. Pocas veces hay dos estados que tengan el mismo impuesto sobre la gasolina, y estos impuestos sirven principalmente para financiar la construcción y el mantenimiento de las carreteras. Los enormes camiones interestatales hacen uso de las carreteras y debido a su peso y a su velocidad aumentan los costes de mantenimiento. Por eso tienen los estados estaciones de pesaje para camiones donde se valoran y gravan las cargas. Y si hay un diferencial en el impuesto sobre la gasolina se miden los depósitos y se aplica el gravamen. Los letreros dicen: «Parada obligatoria para todos los camiones». Al ser Rocinante un camión, paré, sólo para que me indicaran con la mano que no pasase al pesaje. No estaban buscando gente como yo. Pero a veces paraba y hablaba con los inspectores si no estaban muy ocupados. Y esto me lleva al tema de la policía de los estados. A mí, como a la mayoría de los estadounidenses, no me gusta la policía, y la continua investigación de las fuerzas de la policía urbana por soborno, brutalidad y una larga y pintoresca lista de fechorías no contribuye demasiado a tranquilizarme. Sin embargo, mi hostilidad no se extiende a los agentes de las policías estatales que hay hoy en la mayoría de las zonas del país. Por el simple procedimiento de reclutar hombres cultos e inteligentes, pagándoles adecuadamente y situándoles por encima de la coerción política, hay una serie de estados que han conseguido crear cuerpos de elite de hombres convencidos de su dignidad y orgullosos del servicio que prestan. Es muy posible que nuestras ciudades acaben considerando necesario reorganizar sus policías según el modelo de las policías de los estados. Pero esto no sucederá nunca mientras las organizaciones políticas retengan el más leve poder de recompensar o castigar.

Después de Needles, una vez cruzado el río Colorado, se alzaban contra el cielo las oscuras y melladas murallas de Arizona y, tras ellas, la inmensa llanura inclinada que se eleva de nuevo hacia la columna vertebral del continente. Conozco muy bien esa ruta por las muchas veces que la he recorrido: Kingman, Ash Fork, Flagstaff con su pico de montaña detrás, luego Winslow, Holbrook, Sanders, cuesta abajo y otra vez cuesta arriba, y luego se acabó ya Arizona. Las poblaciones eran un poco más grandes y estaban algo más brillantemente iluminadas de lo que yo las recordaba, los moteles eran mayores y más lujosos.

Entré en Nuevo México, pasé velozmente por Gallup en plena noche y acampé en la Divisoria Continental, que es allí mucho más impresionante que en el norte. La noche era muy seca y muy fría, y las estrellas eran de cristal tallado. Me metí en un pequeño cañón para protegerme del viento y paré junto a un montículo de botellas rotas... botellas de whisky y de ginebra, miles de ellas. No sé por qué estaban allí.

Y me quedé allí sentado detrás del volante y me enfrenté a lo que había estado ocultándome a mí mismo. Estaba «conduciéndome», machacando los kilómetros porque no oía ni veía ya. Había superado mi límite de asimilación o, como un hombre que sigue atracándose de comida después de estar lleno, no me sentía capaz de asimilar lo que me iba entrando por los ojos. Cada colina se parecía a la que acababa de pasar. He sentido lo mismo en el Prado de Madrid después de ver un centenar de cuadros: la incapacidad ahíta y desvalida de ver más.

Era un momento adecuado para hallar un lugar protegido al lado de un regato donde descansar y reponerse. Charley, sentado en el asiento oscuro a mi lado, mencionó un problema con un suspirito quejumbroso. Me había olvidado hasta de él. Le dejé salir y se dirigió tambaleante hasta la colina de botellas rotas, las olfateó y emprendió otro camino.

El aire de la noche era muy frío, estremecedoramente frío, así que encendí la luz de la cabina y puse en marcha el gas para caldear el ambiente. La cabina no estaba limpia. Tenía la cama deshecha y los platos del desayuno yacían abandonados en el fregadero. Me senté en la cama y me quedé mirando la lobreguez gris. ¿Por qué había pensado que podría aprender algo sobre el país? Había evitado a la gente en los últimos cientos de kilómetros. Incluso en las paradas inevitables para echar gasolina había contestado con monosílabos y no había retenido ninguna imagen. Mis ojos y mi cerebro me habían fallado. Me estaba engañando a mí mismo con la idea de que aquello era importante e incluso instructivo. Había un remedio a mano, por supuesto. Cogí la botella de whisky sin levantarme, me serví medio vaso, lo olí y volví a echarlo en la botella. Aquello no era ningún remedio.

Charley no había regresado. Abrí la puerta y le silbé y no obtuve respuesta. Esto me sacó bruscamente de mi pasmo. Cogí el reflector y dirigí la lanza de su haz cañón arriba. La luz relumbró sobre dos ojos a unos cincuenta metros de distancia. Corrí sendero arriba y le encontré inmóvil con la vista perdida en el vacío, como había estado yo.

—¿Qué pasa, Charley, no te encuentras bien?

Fue contestando a mis preguntas con lentos movimientos del rabo.

—Oh, sí. Perfectamente, creo.

—¿Por qué no viniste cuando te silbé?

—No te oí silbar.

—¿Qué estabas mirando?

—No sé. Creo que nada.

—Bueno, ¿quieres tu cena?

—La verdad es que no tengo hambre. Pero pasaré por el ritual.

De nuevo en la cabina se desplomó en el suelo y apoyó la barbilla en las patas.

—Sube a la cama, Charley. Seamos desgraciados juntos.

Accedió pero sin entusiasmo y le acaricié con los dedos en el moño y detrás de las orejas como le gusta a él.

—¿Te gusta así?

Movió la cabeza.

—Un poco más a la izquierda. Ahí. Ése es el sitio.

—Tú y yo seríamos unos exploradores pésimos. Al cabo de unos días de marcha no podríamos más. El primer hombre blanco que pasó por aquí... creo que se llamaba Narváez y tengo la impresión de que su excursioncita duró seis años. Córrete. Voy a verlo. No, fueron ocho años... de 1528 a 1536. Y el propio Narváez no llegó hasta aquí. Pero lo hicieron cuatro de sus hombres. Me pregunto si se sentirían hechos polvo alguna vez. Nosotros somos blandos, Charley. Tal vez fuese hora de una pequeña gallardía. ¿Cuándo es tu cumpleaños?

—No sé. Puede que sea como los caballos, el día uno de enero.

—¿Crees que podía ser hoy?

—¿Quién sabe?

—Podría hacerte una tarta. Tiene que ser con masa de tortitas porque eso es lo que tengo. Jarabe en abundancia y una vela encima.

Charley observó la operación con cierto interés. Su estúpido rabo mantenía una delicada conversación.

—Cualquiera que te viese haciendo una tarta de cumpleaños para un perro que ni siquiera sabe cuándo es su cumpleaños pensaría que estás chiflado.

—Si no eres capaz de arreglártelas mejor gramaticalmente con el rabo, tal vez sea una buena cosa que no puedas hablar.

Salió bastante bien: cuatro capas de tortitas con jarabe de arce en medio y un cabo de vela de minero encima. Bebí a la salud de Charley whisky solo mientras él comía y lamía el jarabe. Y nos sentimos mejor los dos después. Pero estaba el grupo de Narváez: ocho años. En aquellos tiempos eran hombres de verdad.

Charley se lamió el jarabe de los pelos del morro.

—¿Por qué estás tan ensimismado?

—Porque he dejado de ver. Cuando pasa eso piensas que no vas a volver a ver nunca más.

Se levantó y se estiró, primero hacia adelante y luego hacia atrás.

—Demos un paseo hasta lo alto de la colina—propuso—. Tal vez hayas empezado a ver de nuevo.

Inspeccionamos el montículo de botellas de whisky rotas y luego continuamos por el sendero arriba. El aire seco y gélido salía de nosotros en penachos de vapor. Un animal bastante grande subió saltando por la colina de piedras sueltas, o tal vez fuese un animal pequeño que había provocado una pequeña gran avalancha.

—¿Qué te dice la nariz que fue?

—Nada que reconozca. Es un olor como almizcleño. Nada que yo vaya a perseguir, tampoco.

Era una noche tan oscura que quedaba salpicada de puntos encendidos. Mi luz halló un resplandor de respuesta en lo alto de la empinada ladera rocosa. Escalé, tropezando y resbalando, perdí la luz rebotada y volví a encontrarla, una buena piedrecita recién escindida con un trozo de mica en ella... no era una fortuna pero sí una cosa que estaba bien tener. La guardé en el bolsillo y fuimos a acostarnos.

CUARTA PARTE

Cuando empecé esta narración sabía que tarde o temprano tendría que hablar de Texas y lo temía. Podría haber evitado Texas con la misma facilidad con que un viajero espacial puede evitar la Vía Láctea. Alza su gran y buen Rabo de Sartén hacia el norte y se arrastra y chapotea a lo largo del río Grande. Una vez que estás en Texas parece que no acabas de salir nunca de ella, y hay gente que nunca lo consigue.

Permitidme que os diga en primer lugar que aunque quisiese evitar Texas no podría, porque estoy casado allí y tengo suegra y tíos y tías y primos por todas partes. Y no sirve de nada el estar alejado geográficamente de Texas, pues Texas se desplaza a nuestra casa de Nueva York, a nuestra cabaña de pesca de Sag Harbour y cuando teníamos un piso en París, Texas estaba allí también. Empapa el mundo hasta un grado absurdo. Una vez, en Florencia, al ver a una encantadora princesita italiana, le dije a su padre: «Pero no parece italiana. Puede resultar raro, pero parece una india norteamericana». A lo que su padre contestó: «¿Y por qué no habría de parecerlo? Su abuelo se casó con una cheroqui en Texas».

Los escritores que se enfrentan al problema de Texas se encuentran con que se enredan en generalidades, y yo no soy ninguna excepción. Texas es un estado mental. Texas es una obsesión. Sobre todo, Texas es una nación en todos los sentidos de la palabra. Y hay una nidada inicial de generalidades. Un tejano fuera de Texas es un extranjero. Mi esposa habla de ella misma como una tejana que se fue, pero eso sólo es verdad en parte. No tiene prácticamente ningún acento hasta que habla con un tejano, entonces da instantáneamente un salto atrás. No tendríais que rascar demasiado para descubrir su origen. Su acento tejano es inconfundible, sobre todo cuando está cansada. Y a nuestra hija se le pegó también el acento después de una temporada en Austin.

He estudiado el problema de Texas desde muchos ángulos y durante muchos años. Y por supuesto cada una de mis verdades queda inevitablemente invalidada por otra. Creo que los tejanos se sienten un poco asustados fuera de su estado natal y son muy tiernos en sus sentimientos, y estas cualidades generan presunción, arrogancia y una autocomplacencia escandalosa... los desahogos de los niños tímidos. En su tierra los tejanos no son ninguna de estas cosas. Los que conozco son corteses, cordiales, generosos y tranquilos. En Nueva York les oímos muy a menudo mencionar su preciada excepcionalidad. Texas es el único estado que entró en la Unión por tratado. Conserva el derecho a separarse a voluntad. Les hemos oído amenazar con separarse tan a menudo que yo fundé una organización de apoyo: Estadounidendes Simpatizantes de la Secesión de Texas. Esto congela inmediatamente el tema. Quieren poder separarse pero no quieren que alguien quiera que lo hagan.

Texas, como la mayoría de las naciones apasionadas, tiene su propia historia privada que se basa en hechos, pero no está limitada por ellos. La tradición del hombre de la frontera duro y versátil es cierta pero no exclusiva. Pocos son los que saben que en los viejos tiempos gloriosos de Virginia había tres castigos para los delitos graves: muerte, destierro a Texas y cárcel, por ese orden. Y algunos de los deportados debieron tener descendientes.

La gloriosa defensa hasta la muerte de El Álamo contra las hordas de Santa Ana es también un hecho. Las valerosas bandas de tejanos arrancaron realmente su libertad a México, y libertad es una palabra sagrada. Se ha de acudir a observadores contemporáneos de Europa para una opinión no tejana respecto a la naturaleza de la tiranía que hizo que fuera necesario rebelarse. Los observadores exteriores dicen que la presión fue doble. Los tejanos, dicen, no querían pagar impuestos y, segundo, México había abolido la esclavitud en 1829, y Texas, al ser parte de México, tenía que liberar a sus esclavos. Había, por supuesto, otras causas de la rebelión, pero estas dos son espectaculares para un europeo, y raras veces se mencionan aquí.

He dicho que Texas es un estado mental, pero que es más que eso. Es una mística que se aproxima notablemente a una religión. Y esto es así en la medida en que la gente o bien ama apasionadamente a Texas o la odia apasionadamente y, como en otras religiones, pocas personas se atreven a inspeccionarla por miedo a perder el rumbo en lo misterioso y paradójico. Cualquier comentario mío puede ser anulado por una opinión o un contracomentario. Pero creo que habrá poca discusión en lo relativo a mi sentimiento de que Texas es una cosa. Pese a toda su enorme gama de espacio, clima y apariencia física, y pese a todas las peleas, disputas y pugnas internas, Texas tiene una firme cohesión, quizá más fuerte que la de ningún otro sector del país. Rica, pobre, Rabo de Sartén, Golfo, ciudad, campo, Texas es la obsesión, el estudio propio y la posesión apasionada de todos los tejanos. Hace unos años, Edna Ferber escribió un libro sobre un grupo muy pequeño de tejanos muy ricos. Su descripción era fiel, por lo que abarca mi conocimiento, pero había un tono de menosprecio. E instantáneamente el libro fue atacado por tejanos de todos los grupos, clases y posiciones. Atacar a un tejano es atraer los disparos de todos ellos. El chiste de Texas es, por otra parte, una institución reverenciada, amada, y algo que en muchos casos nace en Texas.

La tradición del ganadero de la frontera es una tradición cariñosamente alimentada allí lo mismo que lo es el toque de sangre normanda en Inglaterra. Y aunque sea cierto que muchas familias descienden de colonizadores que llegaron en condiciones similares a las de los *braceros* actuales, todos se aferran al sueño de los cuernilargos y el horizonte sin cercas. Cuando un hombre amasa una fortuna con el petróleo o con contratos del gobierno, en la industria química o vendiendo productos alimenticios al por mayor, lo primero que hace es comprar un rancho, el mayor que pueda permitirse, y criar un poco de ganado. Dicen que el candidato a un cargo público que no posea un rancho tiene pocas posibilidades de salir elegido. La tradición de la tierra está profundamente fijada en la psique de Texas. El hombre de negocios lleva botas de tacón que no catan jamás una espuela, y hombres sumamente ricos que tienen casas en París y cazan regularmente urogallos en Escocia se autodefinen como chicos del campo. Sería fácil burlarse de su actitud si uno no supiese que de este modo intentan mantener su vinculación con la fuerza y la sencillez del país. Sienten de una forma instintiva que ésa es la fuente no sólo de la riqueza sino de la energía. Y la energía de los tejanos es ilimitada y explosiva. El hombre de éxito con su rancho tradicional no es, al menos según mi experiencia, ningún propietario absentista. Trabaja en el rancho, supervisa su rebaño y lo aumenta. La energía, en un clima tan cálido que resulta pasmoso, es también pasmosa. Y la tradición del trabajo duro es algo que se mantiene independientemente de la fortuna o la ausencia de ella.

Es asombroso el poder de una actitud. He de decir, entre otras tendencias a comentar, que Texas es una nación militar. Las fuerzas armadas de los Estados Unidos están llenas de tejanos y a menudo dominadas por ellos. Hasta los deportes espectáculo, tan estimados, se dirigen casi como operaciones militares. En ningún sitio hay bandas de música mayores que allí, ni más organizaciones que desfilen con grupos de chicas disfrazadas que hacen girar bastones resplandecientes. Los partidos de fútbol americano entre rivales van acompañados de la gloria y la desesperación de la guerra, y cuando un equipo tejano sale al campo para enfrentarse a un estado extranjero, es un ejército con estandartes.

Si sigo volviendo a la energía de Texas es porque tengo muy clara conciencia de ella. Me parece algo semejante a ese impulso dinámico que provocó y permitió a pueblos enteros emigrar y conquistar en épocas anteriores. La masa continental de Texas es rica en botín recuperable. Si no hubiese sido así, tengo la impresión de que la energía implacable de los tejanos les habría impulsado a salir a la conquista de nuevas tierras. Esta convicción se basa en parte en el movimiento incesante del capital de Texas. Porque, hasta el momento, la conquista ha sido por compra más que por medio de la guerra. Los desiertos petroleros del Cercano Oriente y los países en desarrollo de América del Sur han sentido el impulso. Luego hay nuevas islas de conquista capitalista, fábricas en el Medio Oeste, plantas de tratamiento de alimentos, herramientas y matrices, madera y pasta de papel. Hasta se han añadido editoriales al botín legítimo de la Texas del siglo XX. No hay ninguna moral en estas convicciones, ni ninguna advertencia. La energía ha de tener salida y buscará una.

Las naciones ricas, vigorosas y que triunfan, cuando se han hecho un puesto en el mundo, han sentido en todas las épocas un anhelo de arte, de cultura, hasta de saber y de belleza. Las ciudades de Texas se disparan hacia arriba y hacia fuera. Las universidades están cargadas de donaciones y legados. Brotan de la noche a la mañana teatros y orquestas sinfónicas. En toda oleada bulliciosa e inmensa de energía y entusiasmo tiene que haber equivocaciones y errores de cálculo, hasta falta de juicio y de gusto. Y hay siempre esa hermandad no productiva de los críticos para menospreciar y satirizar, para juzgar con horror y desprecio. Lo que atrae el interés en mi caso es el hecho de que estas cosas lleguen siquiera a hacerse. Habrá sin duda miles de fallos incalificables, pero en la historia del mundo los artistas se han sentido arrastrados siempre hacia donde se les recibe bien y se les trata bien.

Texas invita a las consideraciones generales por su naturaleza y su tamaño y las consideraciones generales suelen acabar en paradoja: el «muchacho del campo» en un concierto, el ranchero de botas y vaqueros en Neiman-Marcus, comprando jades chinos.

Políticamente, Texas continúa con la paradoja. Es tradicional y nostálgicamente «demócrata Viejo Sur», pero eso no impide que vote republicano conservador en las elecciones nacionales, mientras que elige liberales para los cargos de los condados y de las ciudades. Mi afirmación inicial aún sigue siendo válida: en Texas es probable que todo acabe anulado por alguna otra cosa.

La mayoría de las regiones del mundo pueden situarse en latitud y longitud y describirse químicamente a través de su tierra, su cielo y su agua, tienen las raíces y la cobertura de una flora identificada y están pobladas por una fauna conocida, y con eso se acabó todo. Luego hay otras donde la fábula, el mito, la concepción previa, el amor, el anhelo o el prejuicio se interponen y distorsionan tanto la valoración clara y fría, que se impone de forma permanente una confusión mágica y sumamente tendenciosa. Un sitio así es Grecia, y esas partes de Inglaterra por las que andaba el rey Arturo. Una cualidad de esos lugares que estoy intentando definir es que una parte muy grande de ellos es personal y subjetiva. Y no cabe duda de que Texas es un lugar así.

He recorrido una gran parte de Texas y sé que dentro de sus fronteras he visto más o menos tantos tipos de país, topografía, clima y disposición del terreno como hay en el mundo exceptuando sólo el Ártico, y un buen viento del norte puede incluso llevar hasta allá abajo su gélido aliento. Las adustas llanuras del Rabo de Sartén valladas por el horizonte no tienen nada que ver con las pequeñas colinas boscosas y los dulces regatos de las montañas Davis. Los ricos huertos de cítricos del valle del río Grande no tienen ninguna relación con las tierras ganaderas de salvia del sur de Texas. El aire cálido y húmedo de la costa del golfo no guarda ninguna semejanza con el fresco aire cristalino del noroeste del Rabo de Sartén. Y Austin, sobre sus colinas, entre los lagos bordeados, podría estar en un continente distinto que Dallas.

Lo que estoy intentando decir es que no hay ninguna unidad física o geográfica en Texas. Su unidad reside en la mente. Y esto sucede sólo en Texas. La palabra *Texas* se convierte en un símbolo para todos en el mundo. Es indiscutible que esta fábula de la «Texas de la mente» es a menudo sintética, a veces falsa y frecuentemente romántica, pero eso no debilita en modo alguno su vigor como símbolo.

La investigación previa sobre la naturaleza de la idea de Texas se incluye como un preludio del viaje a través de ella con Charley en Rocinante. Pronto se hizo evidente que este trayecto tenía que ser distinto del resto del viaje. En primer lugar conocía el paisaje, y en segundo tenía amigos y parientes políticos, y esa situación hace prácticamente imposible la objetividad, pues no conozco ningún sitio donde se practique tan fervientemente la hospitalidad como en Texas.

Pero antes de que interviniera ese rasgo humano, que es el más agradable de todos y a veces el más agotador, tuve tres días de anonimato en un bello motel del centro de Amarillo. Un coche que pasaba, en una carretera de grava, había lanzado piedras sueltas que habían roto el parabrisas de Rocinante y había que reponerlo. Pero, sobre todo, a Charley había vuelto a atacarle su viejo mal, y esta vez tenía graves problemas y muchos dolores. Yo recordaba al pobre veterinario incompetente del Noroeste, que ni sabía ni se había interesado por el asunto. Y recordé el desprecio y el asombro ofendido con que le había mirado Charley.

En Amarillo el veterinario al que llamé resultó ser un hombre joven. Apareció conduciendo un descapotable de precio medio. Se inclinó sobre Charley.

—¿Qué es lo que le pasa?—preguntó.

Le expliqué el problema que tenía. Luego las manos del joven veterinario descendieron y recorrieron las caderas y el abdomen hinchado... eran unas manos sabias y diestras.

Charley lanzó un gran suspiro y alzó lentamente el rabo del suelo y lo bajó otra vez. Se puso al cuidado de aquel hombre con una confianza absoluta. He visto antes esta comunicación instantánea, y es agradable verla.

Los dedos fuertes tantearon e investigaron y luego el veterinario se enderezó.

—A cualquier viejecillo le puede suceder—dijo.

—¿Es lo que yo creo que es?

—Sí. Prostatitis.

—¿Puede usted tratarla?

—Claro. Primero tendré que relajarlo y luego ya puedo darle la medicación adecuada. ¿Puede usted dejarlo unos cuatro días?

—Pueda o no pueda lo haré.

Alzó en brazos a Charley y lo sacó y lo puso en el asiento delantero del descapotable, y el rabo peludo cotorreó contra el cuero. Estaba contento y confiado, y yo también. Y ése fue el motivo de que me quedase unos días en Amarillo. Para completar el episodio diré que recogí a Charley cuatro días después, completamente bien. El veterinario me dio unas pastillas para que se las diera a intervalos durante el viaje para que no volviera a aparecer el trastorno. No hay absolutamente nada que pueda reemplazar a un hombre bueno.

No quiero entretenerme mucho en Texas. Desde la muerte de Hollywood, el Estado de la Estrella Solitaria ha ocupado su puesto en la cima para ser entrevistado, inspeccionado y analizado. Pero ninguna crónica de Texas sería completa sin una orgía tejana en la que haya hombres de gran fortuna dilapidando sus millones en un exhibicionismo vehemente y de mal gusto. Mi esposa había bajado de Nueva York a reunirse conmigo y estábamos invitados a un rancho tejano el Día de Acción de Gracias. El rancho es propiedad de un amigo que viene a veces a Nueva York, donde le obsequiamos con una orgía. No diré su nombre, siguiendo la tradición de dejar a los lectores suponer. Supongo que es rico, aunque no le he preguntado sobre eso. Llegamos al rancho como invitados la tarde antes de la orgía del Día de Acción de Gracias. Es un hermoso rancho, con agua abundante y árboles y tierra de pastos. Las excavadoras habían levantado en todas partes presas de tierra para contener el agua, formando una serie de lagos vivificadores en el centro del rancho. En unas llanuras con hierba abundante pastaban vacas Hereford de buena raza, que sólo alzaron la vista cuando pasamos en el coche envueltos en una nube de polvo. No sé lo grande que es el rancho. No se lo pregunté a mi anfitrión.

La casa, un edificio de ladrillo de una planta, se alza en medio de un bosquecillo de álamos de Virginia en una pequeña eminencia sobre un estanque formado por un manantial represado. Alteraban la superficie oscura del agua truchas que habían sido trasplantadas allí. La casa era cómoda, tenía tres dormitorios, todos ellos con cuarto de baño (bañera y ducha). El salón, con paneles de pino teñido, servía también de comedor, con una chimenea a un extremo y un armero con el frente de cristal a un lado. Por la puerta abierta de la cocina se podía ver al servicio: una señora grande y oscura y una chica de risilla boba. Nuestro anfitrión nos recibió y nos ayudó a llevar las maletas.

La orgía comenzó inmediatamente. Nos dimos un baño y al salir nos sirvieron un whisky con soda, que bebimos sedientos. Después de eso inspeccionamos el pajar de enfrente, en cuyas perreras había tres pointers, uno de los cuales no se sentía muy bien. Luego fuimos al corral, donde la hija de los dueños de la casa estaba trabajando en el adiestramiento de un caballo, un animal notable llamado Specklebottom. Después de eso inspeccionamos dos presas nuevas, tras las cuales iba subiendo poco a poco el agua, y varios abrevaderos compartidos por un pequeño rebaño de ganado recientemente adquirido. Esta actividad nos agotó y volvimos a la casa a echar un sueñecito.

Cuando despertamos nos encontramos con que llegaban unos amigos que vivían cerca; traían una gran olla de *chile con carne,* hecho según una receta de la familia, el mejor que he comido en toda mi vida. Luego empezó a llegar otra gente rica, que ocultaba su condición con vaqueros y botas de montar. Se sirvieron bebidas y siguió una alegre conversación relacionada con cazar, montar a caballo y criar ganado, acompañada de muchos estallidos de risa. Yo me acomodé en un asiento de ventana y observé en la creciente oscuridad cómo llegaban los pavos silvestres a posarse para pasar la noche en los álamos. Alzaban el vuelo torpemente y se distribuían y luego de pronto se fundieron con el árbol y desaparecieron. Vinieron a posarse allí treinta de ellos por lo menos.

Cuando se asentó la oscuridad, la ventana se convirtió en un espejo en el que podía observar a mi anfitrión y a sus invitados sin que ellos se dieran cuenta. Estaban sentados por la pequeña habitación revestida de paneles, unos en mecedoras y tres de las damas en un sofá. Y me llamó la atención la sutileza de su ostentación. Una de las damas estaba haciendo un jersey mientras otra trabajaba en un rompecabezas, dándose golpecitos en los dientes con la goma de un lápiz amarillo. Los hombres hablaban despreocupadamente de la hierba y el agua, de alguien que había comprado un nuevo toro premiado en Inglaterra y lo había traído en avión. Vestían vaqueros de ese azul claro, más claro y un poco rozado en las costuras, que sólo se puede conseguir con cien lavados.

Pero el detalle estudiado no se detenía ahí. Las botas estaban rozadas por la parte de dentro y curadas con sudor de caballo y los tacones gastados. Los cuellos desabotonados de las camisas de los hombres mostraban líneas de bronceado de un rojo oscuro en el cuello, y un invitado se había tomado incluso la molestia de romperse un dedo índice, que llevaba entablillado y cubierto con un trozo de cuero atado cortado de un guante. Mi anfitrión llegó al extremo de servir a sus invitados de un bar que consistía en una tina llena de hielo, botellas de cuarto de soda, dos botellas de whisky y una caja de gaseosas.

El olor del dinero estaba en todas partes. La hija de los

dueños de la casa, por ejemplo, estaba sentada en el suelo limpiando un rifle del 22, contando una compleja y procaz historia de cómo Specklebottom, su semental, había saltado una puerta de corral de cinco travesaños para ir a visitar a una yegua del condado limítrofe. La chica consideraba que tenía derechos de propiedad sobre el potrillo, siendo la que era la estirpe de Specklebottom. La escena ratificaba lo que todos hemos oído sobre los fabulosos millonarios de Texas.

Yo me acordé de una vez en Pacific Grove que estaba pintando el interior de una casa de campo que había construido mi padre allí antes de nacer yo. El ayudante a sueldo que tenía trabajaba a mi lado, y como no éramos especialistas ninguno de los dos, estábamos todos salpicados de pintura. De pronto nos encontramos con que no teníamos ya pintura.

—Neal—dije—, corre a la tienda de Holman y trae medio galón de pintura y un cuarto de disolvente.

—Tendré que lavarme y cambiarme de ropa—dijo él.

—¡Qué coño! Vete como estás.

—No puedo hacerlo.

—¿Por qué no? Yo podría.

Entonces él dijo una cosa sabia y memorable.

—Hay que ser terriblemente rico para poder vestir lo mal que vistes tú—dijo.

Y no es ninguna broma. Es cierto. Y era cierto en la orgía. Qué increíblemente ricos deben de ser esos tejanos para vivir con la sencillez con que vivían.

Di un paseo con mi mujer, alrededor del estanque de las truchas y más allá, hacia la colina. El aire era frío y el viento que soplaba del norte tenía invierno en él. Escuchamos a ver si oíamos ranas, pero se habían guarecido para el invierno. Oímos sin embargo aullar a un coyote contra el viento y oímos mugir a una vaca por su retoño recién destetado. Los pointers se acercaron a la alambrada de la perrera, meneándose como culebras felices y estornudando con entusiasmo, y hasta el enfermo salió de su caseta y nos sonrió. Luego nos paramos en la alta entrada del gran pajar y olimos el dulzor de la alfalfa y el aroma a pan de la cebada amontonada. En el corral los caballos de raza nos resoplaron y frotaron sus cabezas contra los travesaños de la cerca, y Specklebottom le dio una patada a un colega castrado para no perder su buena forma. Esa noche volaron búhos, chillando para sorprender a la presa, y un halcón nocturno lanzó suaves y rítmicos gritos a lo lejos. Pensé que ojalá Charley pudiese haber estado con nosotros. Habría admirado aquella noche. Pero estaba descansando bajo los efectos de los sedantes en Amarillo, curándose la prostatitis. El áspero viento del norte golpeaba las ramas de los álamos de Virginia. Me pareció que el invierno, que había estado pisándome los talones durante todo el viaje, me había alcanzado al fin. En alguna parte de nuestro pasado zoológico reciente, o al menos del mío, debe de haber sido una realidad de la existencia la hibernación. ¿Por qué, si no, me produce tanto sueño el aire frío de la noche? Así es y así fue, y entramos en la casa donde los fantasmas se habían retirado ya y nos fuimos a la cama.

Desperté temprano. Había visto dos cañas de pescar truchas apoyadas en el biombo fuera de nuestra habitación. Bajé por la ladera cubierta de hierba, resbalando en la escarcha, hasta el borde del estanque oscuro. Había ya una mosca fijada en el anzuelo, un mosquito negro, un poco deshilachado pero lo suficientemente peludo aún. Y en cuanto tocó la superficie del estanque hirvió y se agitó el agua. Saqué una trucha arco iris de unos veinticinco centímetros y la posé en la hierba y le di un golpe en la cabeza. Eché el anzuelo cuatro veces y pesqué cuatro truchas. Las limpié y tiré las tripas a sus amigas.

En la cocina la cocinera me dio café y me senté a esperar mientras rebozaba las truchas en harina de maíz y las freía en grasa de tocino hasta ponerlas crujientes y me las servía bajo un cobertor de tocino que se me desmigajaba en la boca. Hacía mucho tiempo que no comía una trucha así, metida en la sartén a los cinco minutos de salir del agua. La coges entre los dedos delicadamente por la cabeza y por la cola y la vas mordiendo hasta dejar limpia la espina y por último te comes el rabo, crujiente como una patata frita. El café tiene un gusto especial de mañana de escarcha, y la tercera taza es tan buena como la primera. Me habría eternizado en la cocina hablando de naderías con el personal, pero la cocinera me echó porque tenía que rellenar dos pavos para la orgía del Día de Acción de Gracias.

En la claridad de la media mañana fuimos a cazar codornices, yo con la vieja y relumbrante escopeta del 12 con el cañón abollado que llevaba en Rocinante. Esta arma no era nada del otro mundo cuando la compré de segunda mano hace quince años, y no ha mejorado gran cosa desde entonces. Pero supongo que vale tanto como yo. Si soy capaz de darles, la escopeta las echará abajo. Pero antes de salir contemplé con cierta envidia a través de la puerta de cristal del armero una Luigi Franchi de dos cañones del 12 con llave Purdy, tan bella que me invadió la codicia. El grabado sobre el acero tenía el brillo opalino de una hoja de espada de Damasco, mientras que la culata se prolongaba en llave y la llave en cañones como si se hubiesen desarrollado así a partir de una semilla mágica. Estoy seguro de que si mi anfitrión hubiese visto la envidia que sentía me habría prestado aquella hermosura, pero no se la pedí. ¿Os imagináis que resbalase y cayese, o que se me escurriese de las manos o diese un golpe a sus maravillosos cañones contra una roca? No, sería como llevar las joyas de la Corona por un campo de minas. Mi escopeta vieja y cascada no es nada del otro mundo, pero al menos no hay problema si le sucede algo, precisamente por eso, y no hay que preocuparse.

Nuestro anfitrión había estado controlando dónde se reunían los bandos de codornices. Nos esparcimos y empezamos a avanzar entre los matorrales, bajamos hasta el agua, salimos de allí y subimos, mientras los pointers de muelles de acero iban delante de nosotros y una perra pointer vieja y gorda, llamada Duquesa, que tenía fuego en los ojos, los dejaba atrás a todos, y también a nosotros. Encontramos rastros de codornices en el polvo, rastros de codornices en la arena y en el barro de lechos de arroyos, restos de pelusa de las plumas en las puntas secas de la salvia. Anduvimos kilómetros, despacio, las escopetas alzadas y listas para escupir plomo ante un vuelo tamborileante. Y no vimos ni una codorniz. Los perros no olfatearon ni vieron una sola codorniz. Contamos historias y algunas mentiras sobre cacerías de codornices anteriores, pero no sirvió de nada. Las codornices se habían ido, de verdad. No soy más que un cazador de codornices razonable pero los que iban conmigo eran excelentes, los perros eran profesionales, entusiastas, duros y diligentes. No había codornices. Pero lo de cazar tiene una cosa buena. Aunque no hubiese codornices, siempre prefieres haber ido que no haber ido.

Mi anfitrión pensó que yo estaba descorazonado.

—Mira—dijo—. Coge ese 222 pequeño que tienes esta tarde y mata un pavo silvestre.

—¿Cuántos hay?—pregunté.

—Bueno, hace dos años solté treinta. Creo que ahora hay unos ochenta.

—En el bando que apareció junto a la casa anoche conté treinta.

—Hay dos bandos más—dijo él.

Yo no quería un pavo en realidad. ¿Qué iba a hacer con él en Rocinante?

—Espera un año—dije—. Cuando sean ya cien, bajaré y cazaré contigo.

Volvimos a la casa y nos duchamos y nos afeitamos y como era el Día de Acción de Gracias nos pusimos camisa blanca y chaqueta y corbata. La orgía se inició según lo previsto a las dos en punto. No me detendré en los detalles para no escandalizar a los lectores, y además no veo ningún motivo para convertir a aquella gente en objeto de escarnio. Después de dos buenos whiskys, trajeron los dos pavos tostados y glaseados, nuestro anfitrión los trinchó y nosotros mismos nos servimos. Se bendijo la mesa y luego se brindó y nos sumergimos en una oportuna insensibilidad a base de comer. Luego, como romanos decadentes de la mesa de Petronio, dimos un paseo y nos retiramos para el necesario e inevitable sueñecito. Ésa fue mi orgía del Día de Acción de Gracias en Texas.

Por supuesto, no creo que lo hagan todos los días. No podrían. Y en cierto modo sucede lo mismo cuando ellos nos visitan en Nueva York. Ellos quieren, como es natural, ver espectáculos e ir a salas de fiestas y clubs nocturnos. Y al cabo de unos días de esto, dicen:

—No sé cómo podéis vivir así.

A lo que nosotros contestamos:

—No lo hacemos. Y en cuanto vosotros os vayáis, dejaremos de hacerlo.

Y ahora me siento mejor por haber sacado a la luz del análisis las prácticas decadentes de los tejanos ricos que conozco. Pero ni por un momento pienso que coman *chile con carne* o pavo asado todos los días.

Cuando tracé el plan básico de mi viaje había preguntas definidas para las que quería respuestas adecuadas. No me parecía que se tratase de cuestiones a las que fuese imposible dar respuesta. Creo que podrían agruparse todas ellas en esta pregunta única: «¿Cómo son hoy los estadounidenses?».

En Europa es un deporte popular describir cómo son los estadounidenses. Todo el mundo parece saberlo. Y a nosotros nos gusta también ese juego. ¿Cuántas veces he oído a un compatriota mío describir con rotundidad, después de un viaje de tres semanas por Europa, el carácter de los franceses, los ingleses, los italianos, los alemanes y sobre todo los rusos? Viajando por ahí no tardé en aprender la diferencia que había entre un estadounidense y los estadounidenses. Son cosas tan distintas que podrían ser opuestas. Es frecuente que cuando un europeo ha descrito a los estadounidenses con hostilidad y burla se vuelva hacia mí y diga:

—No me refiero a ti, por supuesto. Estoy hablando de esos otros.

La cosa se reduce a esto: los estadounidenses, los ingleses son ese bobalicón sin rostro al que no conoces, pero un francés o un italiano es tu conocido y tu amigo. No tiene ninguna de esas cualidades que la ignorancia te hace detestar.

Yo siempre había considerado esto una especie de trampa semántica, pero después de viajar por mi propio país no estoy nada seguro de que lo sea. Los estadounidenses, tal como yo los vi y como hablé con ellos, eran sin duda alguna individuales, cada uno de ellos distinto de los demás, pero gradualmente empecé a creer que los estadounidenses existen, que tienen realmente características generalizadas que son independientes de los estados a los que pertenezcan, de su condición social y económica, de sus estudios, de sus convicciones políticas y religiosas. Pero si hay realmente una imagen del estadounidense construida con elementos verdaderos y que no sea reflejo de la hostilidad o del pensamiento voluntarista, ¿qué imagen es ésa? ¿Cómo se puede describir? ¿Cómo actúa? Si la misma canción, el mismo chiste, el mismo estilo se difunden por todas las zonas del país al mismo tiempo, debe ser porque todos los estadounidenses son similares en algo. El hecho de que el mismo chiste, el mismo estilo, no tengan ningún eco en Francia o Inglaterra o Italia da validez a la tesis. Pero cuanto más examino esta imagen del estadounidense, menos seguro me siento de lo que es. Me parece cada vez más paradójica, y la experiencia me ha demostrado que cuando surge la paradoja demasiado a menudo para que se pueda estar tranquilo, eso significa que faltan ciertos factores en la ecuación.

Yo había estado recorriendo una galaxia de estados, cada uno con su propio carácter, y había pasado por entre nubes y miríadas de individuos, y delante de mí se extendía una zona, el Sur, que temía ver y que sin embargo tenía que ver y oír. No me atraen el dolor y la violencia. Nunca miro los accidentes a menos que pueda ayudar, ni presto atención a las peleas callejeras por la diversión. Afrontaba el Sur con miedo. Sabía que allí había dolor y confusión y todas las consecuencias locas del desconcierto y el miedo. Y al ser el Sur un miembro del cuerpo de la nación, su dolor se transmitía a todo el país.

Conocía, como conoce todo el mundo, esa descripción veraz pero incompleta del problema: que un pecado original de los padres se estaba transmitiendo a los hijos de las sucesivas generaciones. Tengo muchos amigos sureños, tanto negros como blancos, muchos de ellos de carácter e inteligencia excepcionales, y he visto y sentido muchas veces, al surgir no el problema del tema blancos-negros sino su mera sugerencia, que entraban en un espacio de experiencia en el que no podía entrar yo.

Es posible que yo, en mayor grado que la mayoría de la gente del llamado Norte, esté incapacitado para entender real y emotivamente el calvario no porque yo, un blanco, no tenga ninguna experiencia de los negros sino debido a la naturaleza de mi experiencia.

En Salinas, California, donde nací y me crié y fui a la escuela, acumulando las impresiones que me formaron, sólo había una familia negra. Se llamaban los Cooper y el padre y la madre estaban allí cuando nací yo, pero tenían tres hijos, uno un poco mayor que yo, uno de mi edad y uno un año más joven, así que en la escuela graduada y en el instituto de secundaria hubo siempre un Cooper en el curso siguiente, uno en mi clase y otro en la clase anterior. En una palabra, estaba rodeado de Coopers. El padre, al que todo el mundo llamaba señor Cooper, tenía un pequeño negocio de transporte: lo llevaba bien y se ganaba bien la vida. Su esposa era una mujer amable y cordial, siempre dispuesta a dar un trozo de pan de jengibre en cualquier momento que la presionáramos.

Si había algún prejuicio por el color de la piel en Salinas yo nunca me enteré ni sentí su aliento. A los Cooper se les respetaba, y su autorrespeto no tenía nada de forzado. Ulysses, el chico mayor, alto y callado, fue uno de los mejores saltadores de pértiga que produjo nuestra ciudad. Recuerdo la gracia esbelta de sus movimientos ataviado con las prendas deportivas del equipo y recuerdo que yo envidiaba su perfecta y tranquila coordinación. Murió cuando iba por el tercer año en el instituto y yo fui uno de los que llevaron las andas del ataúd y creo que fui culpable del pecado de orgullo por haber sido elegido para ello. El hijo segundo, Ignatius, condiscípulo mío, no era mi favorito, según descubro ahora, porque era con mucho el mejor estudiante. Era el que sacaba mejores notas en aritmética, y más tarde en matemáticas, y en latín no sólo era un alumno destacado sino que no copiaba. ¿Y a quién puede caerle bien un compañero de clase como ése? El más pequeño de los Cooper (el bebé) era todo sonrisitas. Fue un músico desde el principio, y cuando le vi por última vez estaba profundamente entregado a la composición de lo que a mi oído parcialmente instruido le parecía que era audaz, original y bueno. Pero por encima de su talento, los Cooper eran amigos míos.

Pues bien, ésos fueron los únicos negros que conocí o con los que tuve relación en los tiempos de mi infancia de tira matamoscas, así que ya podéis haceros cargo de lo poco preparado que estaba para el gran mundo. Cuando oí decir, por ejemplo, que los negros eran una raza inferior, pensé que la autoridad estaba mal informada. Cuando oí que los negros eran sucios recordé la cocina resplandeciente de la señora Cooper . ¿Holgazanes? El rumor y el tintineo del coche tirado por un caballo del señor Cooper en la calle solía despertarnos al amanecer. ¿Tramposos? El señor Cooper era uno de los poquísimos habitantes de Salinas que nunca dejaba que una deuda pasase del día quince del mes.

Me doy cuenta ahora de que había algo más en los Cooper que les separaba de otros negros que he visto y conocido después. Como no les ofendían ni les insultaban, no se ponían a la defensiva ni se mostraban beligerantes. Como su dignidad estaba intacta, no tenían ninguna necesidad de ser autoritarios, y como los chicos Cooper nunca habían oído decir que fuesen inferiores, su inteligencia pudo desarrollarse hasta sus verdaderos límites.

Ésta fue mi experiencia de los negros hasta que era ya bastante mayor, quizá demasiado para modificar los inflexibles hábitos de la infancia. He visto mucho desde entonces, claro, y he sentido las terribles oleadas de violencia y desesperación y confusión. He visto niños negros que no pueden realmente aprender, y son sobre todo aquellos a los que les grabaron en la placa de gelatina de la temprana infancia que eran inferiores. Y, recordando a los Cooper y lo que pensábamos de ellos, creo que mi sentimiento principal es de pesar ante el telón de miedo y de cólera alzado entre nosotros. Y se me ha ocurrido una posibilidad divertida. Si en Salinas cualquiera de un mundo más sabio y más refinado hubiese preguntado: «¿Te gustaría que tu hermana se casara con un Cooper?», creo que nos habríamos echado a reír. Porque podríamos haber pensado que un Cooper tal vez no hubiese querido casarse con nuestra hermana, por muy buenos amigos que fuéramos todos.

Sucede pues que no soy la persona adecuada para tomar partido en un conflicto racial. He de admitir que la crueldad y la fuerza ejercidas contra la debilidad me ponen malo de rabia, pero esto sería igualmente cierto en el tratamiento de cualquier débil por cualquier fuerte.

Al margen de estos fallos míos como racista, yo sabía que no era querido en el Sur. Cuando la gente está metida en algo de lo que no se siente orgullosa no dan la bienvenida a los testigos. De hecho, llegan a creer que el testigo es la causa del problema.

En todo este análisis del Sur sólo me he referido a la violencia provocada por los movimientos de abolición de la segregación racial: los niños que van a la escuela, los jóvenes negros que exigen el dudoso privilegio de acceder a comedores, autobuses y aseos. Pero me interesa especialmente el asunto de la escuela, porque me parece que la plaga sólo puede desaparecer cuando haya millones de Coopers.

Recientemente un querido amigo sureño me instruyó con tonos apasionados sobre la teoría de «iguales pero separados».

—Da la casualidad concretamente—dijo—, de que en mi ciudad hay tres nuevas escuelas para negros no iguales sino superiores a las escuelas de los blancos. ¿No crees que se darían por satisfechos con eso? Y en la estación de autobuses los servicios son exactamente iguales. ¿Qué me contestas a eso?

—Tal vez sea una cuestión de ignorancia—dije—. Podrías resolverlo y ponerles realmente en su sitio si intercambiases escuelas y servicios. En el momento en que se diesen cuenta de que vuestras escuelas no eran tan buenas como las suyas, comprenderían su error.

¿Y sabéis lo que dijo él?

—Eres un agitador hijo de puta—dijo.

Pero lo dijo sonriendo.

Mientras estaba aún en Texas, a finales de 1960, el incidente más fotografiado y comentado por la prensa era la matriculación de dos niñitos negros en una escuela de Nueva Orleáns. Detrás de aquellos pequeños estaba la soberanía de la ley y su poder para obligar (estaban aliados con los niños tanto los platillos de la balanza como la espada), mientras que contra ellos se alineaban trescientos años de miedo y rabia y horror al cambio en un mundo cambiante. Yo había visto fotos en los periódicos todos los días y reportajes en la pantalla de la televisión. Lo que hacía que a la gente de las noticias le gustase tanto la historia era un grupo de mujeres corpulentas de edad madura que, por cierta curiosa definición de la palabra *madre*, se reunían todos los días para insultar a gritos a los niños. Además, un grupito de ellas habían adquirido ya tanta práctica que se las conocía como las «animadoras», y se juntaba todos los días una multitud para disfrutar de su actuación y aplaudirla.

Este extraño drama parecía tan inverosímil que pensé que tenía que verlo. Poseía el mismo atractivo que una ternera de cinco patas o un feto de dos cabezas en una barraca de feria, una deformación de la vida normal que siempre nos ha parecido tan interesante que estamos dispuestos a pagar por verla, tal vez para demostrarnos que tenemos el número apropiado de piernas o de cabezas. El espectáculo de Nueva Orleáns ejercía sobre mí todo el atractivo de lo anormal increíble, pero me hacía sentir también una especie de horror por el hecho de que pudiera atraerme.

Fue entonces cuando irrumpió bruscamente con un sombrío viento del norte el invierno, que había estado siguiéndome el rastro desde que había salido de casa. Traía hielo y aguanieve gélida y cubrió las carreteras de una capa sombría de helada. Recogí a Charley en casa del buen veterinario. Parecía tener la mitad de los años que tenía y se sentía maravillosamente, y para demostrarlo corrió y dio saltos y volteretas y se rió y lanzó pequeños yupis de puro gozo. Era muy grato tenerle conmigo de nuevo, sentado allí en el asiento de al lado, mirando al frente, hacia la carretera que iba desplegándose delante, o acurrucado para dormir con la cabeza en mi regazo y sus estúpidas orejas disponibles para acariciarlas. Es un perro capaz de seguir durmiendo por muchas discretas caricias que le hagas.

Dejamos pues de entretenernos y nos lanzamos a la carretera. No podíamos ir deprisa a causa del hielo, pero avanzábamos sin detenernos, sin fijarnos apenas en la parte de Texas por la que estábamos pasando. Texas nos parecía dolorosamente infinita: Sweetwater y Balinger y Austin. Bordeamos Houston. Paramos a echar gasolina y a tomar café y unos trozos de tarta. Charley hizo sus comidas y sus paseos en las estaciones de gasolina. La noche no nos detenía, y cuando me dolían los ojos y me ardían de forzarlos demasiado tiempo y los hombros eran colinas laterales de dolor, paraba en un lugar de estacionamiento y me metía como un topo en la cama, sólo para seguir viendo desplegarse la carretera detrás de los párpados cerrados. No podía dormir más de dos horas y luego me lanzaba al amargo frío de la noche y seguía y seguía. El agua del borde de la carretera estaba completamente helada y la gente con la que me cruzaba iba tapada hasta las orejas con chales y jerséis.

Las otras veces había llegado a Beaumont chorreando sudor y ansioso de hielo y aire acondicionado. Entonces Beaumont, con todo su resplandor de letreros de neón, estaba lo que se dice congelado. Lo crucé de noche, o más bien en la oscuridad, bastante después de medianoche. El hombre de dedos azules que me llenó el depósito de gasolina miró a la cabina donde estaba Charley y dijo:

—¡Vaya, es un perro! Creí que tenía usted un negro ahí dentro.

Y rompió a reír muy satisfecho. Fue la primera de muchas repeticiones. Veinte veces por lo menos lo oí: «Creí que llevaba usted un negro ahí dentro». Era un chiste insólito, siempre fresco, y el tono con que se pronunciaba la palabra *negro* era también significativo. Esa palabra parecía terriblemente importante, una especie de fórmula de seguridad a la que aferrarse para que no se desmoronara una estructura.

Y luego estaba ya en Luisiana, con Lake Charles a un lado en la oscuridad, pero mis luces relumbraron en hielo y brillaron sobre escarcha diamantina, y esas gentes que se arrastran siempre por las carreteras de noche iban con un montón de ropa encima contra el frío. Crucé La Fayette y Morgan City y entré al amanecer en Houma, que se pronuncia Homer y es en mi recuerdo uno de los lugares más agradables del mundo. Allí vive mi viejo amigo el doctor St. Martin, un hombre culto y educado, un *cajun* que ha sacado al mundo bebés y curado cólicos entre los marisqueros *cajuns* en muchos kilómetros a la redonda. Creo que sabe más sobre los *cajuns* que ningún otro ser viviente, pero recordé anhelante otros dones del doctor St. Martin. Hace el martini mejor y más sutil del mundo mediante un proceso que bordea la magia. La única parte de su fórmula que conozco es que usa agua destilada para el hielo y que la destila él mismo para mayor seguridad. He comido pato negro en su mesa: dos martinis de St. Martin y un par de patos negros con un borgoña sacado a la luz de la botella lo mismo que se podría sacar a la luz un niño, y todo ello en una casa en penumbra donde se han echado las persianas al amanecer y se ha preservado el aire fresco de la noche. En aquella mesa con una cubertería de plata dúctil y mate, que brilla como peltre, recuerdo la copa alzada de la sagrada sangre de la uva, el pie de ella acariciado por los fuertes dedos de artista del doctor, y puedo oír ahora incluso el dulce y breve «salud» y «bienvenido» en el idioma cantarín de Acadia que fue en tiempos francés y ahora es él mismo. Este cuadro llenó el parabrisas escarchado y me habría convertido en un conductor peligroso si hubiese habido tráfico. Pero había un amanecer gélido de un amarillo claro en Houma y comprendí que si paraba a presentar mis respetos, mi voluntad y resolución se esfumarían en virtud de los lotos especiales de que te provee St. Martin y estaríamos hablando de cuestiones intemporales cuando llegase la noche, y también cuando llegase la noche siguiente. Así que me limité a hacer una inclinación en la dirección de mi amigo y continué rápidamente hacia Nueva Orleáns, pues quería presenciar una actuación de las «animadoras».

Hasta yo sé que no conviene conducir un coche cerca de donde hay problemas, especialmente uno como Rocinante, con matrícula de Nueva York. El día anterior, sin ir más lejos, le habían dado una paliza a un periodista de Nueva York y le habían destrozado la cámara, pues hasta los votantes convencidos son reacios a que se registre y preserve su momento de historia.

Así que, a la entrada misma de la ciudad, me desvié hacia un aparcamiento. El empleado vino a mi ventanilla.

—Vaya, amigo, pensé que tenía usted un negro ahí dentro. Y ahora resulta que es un perro. Vi esa vieja cara negra y grande y me digo es un negro viejo y grande.

—Tiene la cara gris azulada cuando está limpio—respondí fríamente.

—Bueno, he visto algunos negros gris azulados y no estaban limpios. De Nueva York, ¿eh?

Me pareció que se colaba en su voz un tono frío como el aire de la mañana.

—Estoy de paso—dije—. Quiero dejarlo un par de horas. ¿Podría conseguirme usted un taxi?

—Le diré lo que apuesto. Apuesto a que va usted a ver a las «animadoras».

—Así es.

—Bueno, espero que no sea usted uno de esos agitadores o de esos periodistas.

—Yo sólo quiero verlo.

—Amigo, ay, amigo, va a ver algo especial. ¿No le parece que son una cosa especial esas «animadoras»? Amigo, ay, amigo, no habrá oído nunca nada como eso, ya verá cuando empiecen la función.

Encerré a Charley en la casa de Rocinante después de enseñársela al empleado y darle un whisky y un dólar.

—No se le ocurra abrir la puerta cuando yo no esté —dije—. Charley se toma su trabajo muy en serio. Podría perder usted una mano.

Se trataba de una mentira escandalosa, pero el hombre dijo:

—Sí, señor. No me verá a mí haciendo el tonto con un perro desconocido.

El taxista, un hombre amarillento y cetrino, reseco como un garbanzo por el frío, dijo:

—No le llevaré más que hasta dos manzanas de allí. No estoy dispuesto a que me destrocen el coche.

—¿Tan mal está la cosa?

—No es cómo esté. Es cómo puede ponerse. Y puede ponerse así de mal.

—¿Cuándo empiezan ellas?

Miró su reloj.

—Si no hace mucho frío, están aquí desde el amanecer. Falta un cuarto de hora. Yendo a esta hora no se lo perderá, salvo que haga mucho frío.

Yo me había camuflado con una chaqueta azul vieja y mi gorra de la marina inglesa, basándome en el supuesto de que en un puerto de mar nadie mira nunca a un marinero más de lo que se inspecciona a un camarero en un restaurante. Un marinero no tiene rostro, en su territorio natural, y por supuesto no tiene otro plan que no sea el de emborracharse y tal vez acabar en la cárcel por pelearse con alguien. Al menos ésa es la creencia general respecto a los marineros. Lo he comprobado. Lo más que puede pasar es que una voz cordial diga con autoridad: «¿Por qué no vuelves a tu barco, marinero? ¿No te gustaría acabar en la cárcel y perderlo, eh marinero, verdad que no?». Y el que dice eso no te reconocería cinco minutos después. Y el león y el unicornio de mi gorra me hacían aún más anónimo. Pero debo advertir a todo el que ponga a prueba mi teoría que no debe hacerlo nunca lejos de un puerto de embarque.

—¿De dónde es usted?—preguntó el taxista con una falta de interés absoluta.

—De Liverpool.

—Vaya. Bueno, no le pasará nada. El problema viene todo por esos malditos judíos de Nueva York.

Adopté un acento británico pero en modo alguno de Liverpool.

—¿Judíos, dice? ¿Y cuál es el problema?

—Bueno, demonios, señor. Nosotros sabemos cómo llevar esto. Todo el mundo está contento y se entiende bien. Bueno, a mí *me gustan* los negros. Y esos malditos judíos de Nueva York vienen y soliviantan a los negros. Si se quedasen en Nueva York no habría ningún problema. Hay que echarlos de aquí.

—¿Quiere decir lincharlos?

—No quiero decir nada más que lo que he dicho, señor.

Me dejó bajar y empecé a caminar.

—No intente acercarse demasiado—me dijo—. Disfrútelo pero no se meta.

—Gracias—dije, ahogando el «muchas» que me vino primero a la lengua.

Al ir acercándome a la escuela me vi incorporado a un río de gente que era toda blanca y que iba toda en la misma dirección que yo. Caminaban resueltamente, como gente que acude a un incendio después de que lleva ardiendo ya cierto tiempo. Se daban palmadas en las caderas o se metían las manos por dentro de los abrigos, y muchos hombres llevaban bufandas debajo de los sombreros y cubriéndoles las orejas.

La policía había instalado barreras de madera en la acera de enfrente de la escuela para contener a la multitud y paseaban por allí arriba y abajo agentes, indiferentes en apariencia a las bromas que les hacían. La entrada de la escuela estaba desierta pero había a lo largo del bordillo agentes federales, no de uniforme sino con brazaletes que los identificaban. Les abultaba adecuadamente la pistola bajo la chaqueta pero sus miradas se movían nerviosas inspeccionando rostros. Me pareció que me inspeccionaban para ver si era un habitual y que luego me desdeñaron como insignificante.

Era evidente dónde estaban las «animadoras», porque la gente empujaba hacia adelante para intentar aproximarse a ellas. Tenían reservado un puesto privilegiado en la barricada, justo enfrente de la entrada de la escuela, y en aquel sector una concentración de policías pateaban el suelo y daban palmadas con las manos enfundadas en unos guantes nada habituales.

De pronto me empujaron violentamente y se alzó un grito:

—Aquí viene. Dejadla pasar... Vamos, atrás. Dejadla pasar. ¿Dónde has estado? Llegas tarde a la escuela. ¿Dónde estabas, Nellie?

El nombre no era Nellie. Se me olvidó cuál era. Pero se abrió paso entre la densa multitud lo suficientemente cerca de mí para que pudiera ver su abrigo de lana sintética y los pendientes de oro. No era alta, pero tenía un cuerpo amplio y un busto pleno. Debía tener unos cincuenta años. Iba muy empolvada, lo que daba un tono muy oscuro a la línea de la doble barbilla.

Se abría paso con una fiera sonrisa entre la gente arremolinada, sosteniendo en la mano, alto, un puñado de recortes de periódico para que no los aplastaran. Como era la mano izquierda busqué en ella un anillo de boda y vi que no había ninguno. Me escurrí detrás de ella para dejarme arrastrar por su estela, pero la aglomeración era densa y además me hicieron una advertencia.

—Cuidado, marinero. Todo el mundo quiere oír.

Ellie fue recibida con gritos de bienvenida. No sé cuantas «animadoras» había. No había una línea clara de separación entre ellas y la multitud que estaba detrás. Lo que yo podía ver era que un grupo se estaba pasando recortes de prensa y que los leían en voz alta con grititos de gozo.

Luego la multitud se agitó inquieta, como hace el público cuando ha pasado ya la hora de que se alce el telón y no se alza. Los hombres que había a mi alrededor miraban sus relojes. Yo miré el mío. Faltaban tres minutos para las nueve.

El espectáculo se inició a su hora. Ruido de sirenas. Polis en moto. Luego pararon delante de la escuela dos coches negros llenos de hombres de sombreros de fieltro color claro. La multitud pareció contener el aliento. De cada coche salieron cuatro agentes federales grandes y de algún lugar del interior de ellos extrajeron a la niña negra más pequeña que hayas podido ver en la vida, vestida de un blanco almidonado resplandeciente, con zapatos blancos nuevos en unos pies tan pequeños que eran casi redondos. La cara y las piernecitas parecían aún más negras por el contraste con el blanco.

Los agentes federales grandes la pusieron en el bordillo de la acera y entonces se alzó de detrás de las barricadas un estrépito de abucheos. La niñita no miró hacia la multitud aullante, pero el blanco de los ojos parecía visto de lado el de un cervatillo asustado. Los agentes la giraron como si fuera una muñeca y luego la extraña procesión cruzó la ancha acera hacia la escuela, y la niña resultaba aún más minúscula por lo grandes que eran los dos hombres. Luego la niña dio un extraño brinco y creo que sé lo que era. Creo que no había caminado en toda su vida diez pasos sin saltar, pero entonces, en medio de su primer salto, la abatió el peso que tenía que soportar y sus piececitos redondos siguieron dando pasos medidos y renuentes entre los altos guardias. Subieron las escaleras despacio y entraron en la escuela.

Los periódicos habían publicado que las burlas y abucheos eran crueles y a veces obscenos, y lo eran, pero el número importante no era ése. La multitud estaba esperando al hombre blanco que osaba llevar a la escuela a su hijo blanco. Y ya venía por allí por la ruta protegida por los policías un hombre alto que vestía de gris claro y que llevaba de la mano a su asustado hijo. Tenía tensado el cuerpo como un muelle de lámina forzado hasta el punto de ruptura; su rostro era grave y gris y mantenía los ojos fijos en el suelo inmediatamente delante de él. Los músculos de los pómulos sobresalían por las mandíbulas apretadas, un hombre asustado que domina sus temores con la voluntad lo mismo que un buen jinete dirige a un caballo asustado.

Surgió entonces una voz aguda y estridente. No se trataba de un coro. Cada una tenía su turno y al final de cada actuación la multitud prorrumpía en aullidos y rugidos y silbidos de aplauso. Aquello era lo que habían ido a ver y a oír.

Ningún periódico había impreso las palabras que gritaban aquellas mujeres. Se indicaba que eran groseras, algunos decían incluso que obscenas. En la televisión se manipulaba la banda sonora para que no se oyese bien o se tapaba con los gritos de la multitud. Pero entonces oí las palabras, bestiales y sucias y degeneradas. En una vida larga y desprotegida había visto y oído antes los vómitos de seres humanos demoníacos. ¿Por qué me llenaron entonces de una tristeza tan escalofriante y horrorizada aquellos gritos?

Las palabras anotadas son sucias, cuidadosa y selectivamente sucias. Pero había algo muchísimo peor allí que la suciedad, una especie de aquelarre de brujas asustadas. Aquello no era un grito de cólera espontáneo, de rabia demente.

Tal vez fuese esto lo que me hizo sentirme enfermo de náuseas tediosas. Allí no había ningún principio bueno ni malo, ninguna dirección. Aquellas mujeres groseras con sus sombreritos y sus recortes de prensa estaban ansiosas de atención. Querían que las admiraran. Cuando las aplaudían sonreían con unas sonrisas bobaliconas, con una sensación feliz, casi inocente, de triunfo. Su crueldad era la crueldad demente de los niños egocéntricos, y de algún modo esto hacía que su brutalidad insensata resultase mucho más descorazonadora aún. Aquéllas no eran madres, ni siquiera mujeres. Eran intérpretes locas actuando para un público loco.

La multitud de detrás de la barrera aullaba y vitoreaba, se daban golpes entre ellos entusiasmados. Los nerviosos policías que paseaban por delante estaban atentos a cualquier desbordamiento de la barrera. Tenían los labios apretados, pero unos cuantos de ellos sonrieron y rápidamente volvieron a ponerse serios. Los agentes federales del otro lado se mantenían inmóviles. El hombre vestido de gris aceleró el paso un instante, pero luego volvió aminorar con un esfuerzo de la voluntad y empezó a cruzar la acera de la escuela.

La multitud se calló y le llegó el turno a la «animadora» siguiente. Su voz fue como el mugido de un toro, un grito profundo y potente de bordes planos como el de un voceador de circo. No hay ninguna necesidad de reseñar sus palabras. El esquema era el mismo; sólo eran distintos el ritmo y la cualidad tonal. Cualquiera que se hubiese acercado a un teatro se daría cuenta de que aquellos discursos no eran espontáneos. Se habían probado y memorizado y ensayado cuidadosamente. Aquello era teatro. Observé las caras atentas de la multitud que escuchaba y eran las caras de un público. Cuando había aplausos, eran para un intérprete.

Tenía el cuerpo revuelto de náuseas tediosas, pero no podía dejar que me cegara una enfermedad después de haber ido desde tan lejos para ver y oír. Y de pronto me di cuenta de que allí había algo que estaba equivocado y distorsionado y desenfocado. Conozco Nueva Orleáns, he tenido muchos amigos allí a lo largo de los años, gente educada y reflexiva, con una tradición de amabilidad y cortesía. Me acordé de Lyle Saxon, un hombre inmenso de risa suave. Cuántos días he pasado con Roark Bradford, que tomó sonidos y vistas de Luisiana y creó a Dios y los Verdes Pastos a los que nos guía. Contemplé a la multitud buscando en ella rostros de personas así y no los había. He visto a gente como aquélla pidiendo a gritos sangre en un combate de boxeo, teniendo orgasmos cuando un hombre recibe una cornada en una plaza de toros, contemplando con anhelo vicario un accidente de carretera, haciendo cola pacientemente por el privilegio de contemplar cualquier dolor o cualquier calvario. ¿Pero dónde estaban los otros, los que tendrían que sentirse orgullosos de pertenecer a la misma especie que el hombre de gris, los que tendrían que estar deseando coger en brazos a aquella niñita negra asustada?

No sé dónde estaban. Quizá se sintiesen tan impotentes como me sentía yo, pero dejaban a Nueva Orleáns mal representada ante el mundo. La multitud se apresuró a volver a casa, sin duda, para verse en la televisión, y lo que verían ellos se vería en todo el mundo, sin que se le opusieran las otras cosas que yo sé que hay allí.

Se había acabado el espectáculo y el río que formábamos empezó a ponerse en marcha. El segundo número sería cuando sonase el timbre de final de clase y la carita negra tuviese que volver a contemplar a sus acusadores. Estaba en la Nueva Orleáns de los grandes restaurantes. Los conozco todos y en la mayoría de ellos me conocen a mí. Y haber ido al Gallatoir a tomar una tortilla francesa y champán habría sido como ponerme a bailar sobre una tumba. Hasta poner esto sobre el papel ha vuelto a despertar en mí la náusea tediosa e impotente. No lo he escrito para divertir. No me divierte.

Compré un bocadillo de esos que llaman de chico pobre y salí de la ciudad. No demasiado lejos de ella encontré un lugar de descanso agradable donde pude sentarme y mascar y contemplar y observar detenidamente, tal como mi espíritu necesitaba, al pardo y majestuoso Padre de las Aguas en su lento curso. Charley no se dedicó a dar vueltas por allí sino que se sentó a mi lado y apretó su paletilla contra mi rodilla y sólo hace eso cuando estoy enfermo, así que supongo que estaba enfermo de una especie de pesadumbre.

Perdí la noción del tiempo, pero un rato después de que el sol alcanzara su cenit llegó andando un hombre e intercambiamos un «buenas tardes». Era un hombre correctamente vestido, ya de edad, con un rostro como del Greco y cabello blanco delicado arremolinado por el viento y un bigote blanco recortado. Le pedí que se sentara conmigo y cuando aceptó entré en mi casa y puse café a hacerse y, recordando cómo le gustaba a Roark Bradford, dupliqué la dosis, dos cucharadas soperas bien colmadas de café por cada taza y dos más por la cafetera. Casqué un huevo y retiré la yema y eché clara y cáscara en la cafetera, pues no conozco nada que abrillante el café y lo haga relucir tanto como eso. El aire era aún muy frío y se avecinaba una noche fría, así que el brebaje, elevándose del agua fría hasta un sonoro hervor, despedía ese buen aroma que compite con éxito con otros buenos olores.

Mi invitado se puso contento. Se calentó las manos en el vaso de plástico.

—Por la matrícula, es usted forastero—dijo—. ¿Como llegó a entender de café?

—Aprendí en Bourbon Street de gigantes de este mundo—dije—. Pero ellos habrían pedido un grano más tostado y les habría gustado añadir un poco de achicoria para darle fuerza.

—Usted sabe—dijo—. No es un forastero en realidad. ¿Y sabe usted hacer *diablo*?

—Para fiestas, sí. ¿Usted es de aquí?

—Por más generaciones de las que puedo probar sin lugar a duda, aunque clasificado como *ci gît* en St. Louis.

—Comprendo. Es usted de esa raza. Me alegro de que se parara. Yo conocía bien St. Louis, hasta coleccionaba epitafios.

—¿De veras, señor? Recordará el raro, entonces.

—Si es el mismo, intenté aprenderlo de memoria. ¿Quiere usted decir ese que empieza: «Ay de aquel cuya alegría secreta ...»?

—Ese mismo. Robert John Cresswell, que murió en 1845 a los veintiséis años de edad.

—Ojalá pudiese acordarme.

—¿Tiene usted un papel? Puede anotarlo.

Y cuando tuve un cuaderno apoyado en la rodilla dijo:

—Ay de aquel cuya alegría secreta había tenido que confiar a menudo en que el cielo se alegrase así de pronto de todas sus esperanzas bienvenidas y aun de tu amor por esa rémora que reparte la plaga perruna que dejaste para demostrar tu sufrimiento mientras estés abajo.

—Es maravilloso—dije—. Podría haberlo escrito Lewis Carroll. Casi sé lo que significa.

—Todo el mundo lo sabe. ¿Está usted viajando por placer?

—Lo estuve hasta hoy. Vi a las «animadoras».

—Ah, ya, comprendo—dijo, y cayeron sobre él un peso y una oscuridad.

—¿Qué está pasando?

—No sé. La verdad es que no sé. No me atrevo a pensar en ello. ¿Por qué tengo que pensar en ello? Soy demasiado viejo. Que se cuiden otros de eso.

—¿Puede verle usted un final?

—Oh, un final desde luego que sí. Son los medios... los medios. Pero usted es del Norte. No es problema suyo.

—Yo creo que es un problema de todo el mundo. No es local. ¿Quiere tomar otro café y hablarme de ello? No tengo una posición. Quiero decir que me gustaría oír.

—No hay nada que saber—dijo él—. Parece cambiar de cara según quién seas y dónde hayas estado y lo que sientas... o lo que pienses si no es lo que sientas. ¿No le gustó lo que vio?

—¿Le gustaría a usted?

—Tal vez menos que a usted porque conozco todo su doloroso pasado y parte de su apestoso futuro. Es una palabra fea, señor, pero no hay ninguna más.

—Los negros quieren ser personas. ¿Está usted en contra de eso?

—Por Dios, no, señor. Pero para conseguir ser personas deben combatir a los que no están satisfechos de ser personas.

—¿Quiere decir que los negros no se darán por satisfechos con ninguna ganancia?

—¿Se da por satisfecho usted? ¿Alguien a quien conozca?

—¿Se sentiría contento dejándoles ser personas?

—Bastante contento, pero no lo entendería. He tenido demasiados *ci gît** aquí. ¿Cómo puedo explicárselo? Bueno,

* Francés, 'aquí yace' *(N. del T.)*.

suponga que aquí su perro, parece un perro muy inteligente...

—Lo es.

—Bueno, supongamos que pudiese hablar y ponerse de pie sobre las patas traseras. Quizás pudiese arreglárselas muy bien en todos los sentidos. Quizás pudiese usted invitarle a cenar, ¿pero podría considerarle usted persona?

—¿Quiere decir que si me gustaría que mi hermana se casase con él?

Se echó a reír.

—Sólo estoy explicándole lo difícil que es cambiar un sentimiento respecto a ciertas cosas. ¿Y no cree usted que les resultará igual de difícil a los negros modificar lo que sienten respecto a nosotros de lo que nos resulta a nosotros modificar lo que sentimos respecto a ellos? Esto no es algo nuevo. Hace mucho tiempo ya que pasa.

—De todos modos, el tema quita toda espuma de alegría a la conversación.

—Así es, señor. Creo que soy lo que podría llamarse un sureño ilustrado, confundiendo un insulto con un cumplido. Como tal híbrido recién nacido, sé lo que pasará con el tiempo. Está empezando ya en África y en Asia.

—¿Se refiere usted a la absorción... a que desaparecerán los negros?

—Si nos superan en número, desapareceremos nosotros, o más probablemente desapareceremos ambos en algo nuevo.

—¿Y mientras tanto?

—Es el mientras tanto lo que me asusta, señor. Los antiguos ponían el amor y la guerra en las manos de dioses estrechamente emparentados. Y no tenía nada de accidental eso. Eso indicaba, señor, un profundo conocimiento del hombre.

—Razona usted bien.

—Los que usted vio hoy no razonan en absoluto. Son los que deben alertar al dios.

—Entonces, ¿cree usted que puede suceder en paz?

—No sé—exclamó—. Creo que eso es lo peor. Simplemente no sé. A veces ansío asumir mi justo título de Ci Gît.

—Me gustaría que viniese usted conmigo. ¿Está usted viajando?

—No. Tengo una casita allá, debajo de aquel bosquecillo. Paso mucho tiempo allí, leyendo sobre todo, cosas viejas, mirando sobre todo, cosas viejas. Es el método que he ideado para eludir el problema porque me da miedo.

—Creo que todos hacemos algo parecido.

Sonrió.

—Tengo una pareja negra que me cuida, son viejos ya, tan viejos como yo. Y a veces cuando llega la noche nos olvidamos. Ellos se olvidan de envidiarme y yo me olvido de que podrían hacerlo, y somos sólo tres... cosas agradables que viven juntas y huelen las flores.

—Cosas—repetí—. Eso es interesante... no hombre y animal, no negro y blanco, sino cosas agradables. «Mi mujer me contó que había un hombre viejo, muy viejo que decía: "Me acuerdo de los tiempos en que los negros no tenían alma. Era mucho mejor y más fácil entonces. Ahora es un lío"».

—No me acuerdo de eso, pero debe ser así. Pienso que podemos dividir y repartir nuestra culpa heredada como una tarta de cumpleaños—dijo, y salvo por el bigote parecía el San Pablo del Greco que sostiene en las manos el libro cerrado—. Seguro que mis antepasados tuvieron esclavos, pero es posible que los suyos los capturaran y nos los vendieran.

—Yo tengo una rama puritana que bien podría haberlo hecho.

—Si haces trabajar y vivir a una criatura como un animal por la fuerza tienes que considerarla un animal, si no la empatía te volvería loco. Una vez que lo has clasificado en tu mente, no tienes ya dudas sobre tus sentimientos—. Miró hacia el río y la brisa le agitó el cabello como si fuera humo blanco. —Y si tu corazón tiene vestigios humanos de bravura y cólera, que en un hombre son virtudes, entonces tienes miedo a un animal peligroso, y como tu corazón tiene inteligencia e inventiva y la capacidad de ocultarlas, vives con miedo. Así que tienes que aplastar sus tendencias viriles y convertirle en el animal dócil que necesitas. Y si puedes enseñar a tu hijo desde el principio lo que ha de saber sobre el animal, no compartirá tu desconcierto.

—Me han dicho que el buen negro de los viejos tiempos cantaba y bailaba y estaba contento.

—También huía. Las leyes de fugitivos nos indican con qué frecuencia.

—No es usted lo que el Norte entiende por un sureño.

—Puede que no. Pero no estoy solo—se levantó y se sacudió el polvo de los pantalones con los dedos—. No... no estoy solo. Ahora seguiré con mis cosas agradables.

—No le he preguntado su nombre, señor. Ni le he dicho el mío.

—Ci Gît—dijo—. Monsieur Ci Gît... una gran familia, un nombre común.

Cuando se fue sentí una dulzura que era como música, si la música pudiese obsequiar a la piel con un pequeño escalofrío.

Para mí había sido un día más largo de lo que puede ser un día, que no se podía medir con otros días porque no había equiparación posible. Había dormido poco la noche anterior y sabía que tenía que parar. Estaba muy cansado, pero la fatiga puede ser a veces un estimulante y una compulsión. Me obligó a llenar el depósito de gasolina y me forzó a parar y ofrecerme a llevar a un viejo negro que arrastraba sus pesados talones por el borde cubierto de hierba de la carretera de hormigón. Se mostró renuente a aceptar y lo hizo como si le pareciese que no podía decir que no. Vestía las ropas maltrechas de un peón agrícola y un viejo abrigo de paño muy abrillantado por el tiempo y el uso. Tenía la cara de color café y entrecruzada por un millón de pequeñas arrugas y los párpados inferiores con los bordes rojos como los ojos de un sabueso. Juntó las manos sobre el regazo, unas manos nudosas y llenas de bultos como ramas de cerezo, y todo él parecía hundirse en el asiento como si encogiese su perímetro para hacerlo más pequeño.

No me miraba. No pude ver que mirase nada. Lo primero que hizo fue preguntar:

—¿Muerde perro, capitán, señor?

—No. Es amistoso.

Tras un largo silencio, pregunté:

—¿Cómo le van las cosas?

—Bien, muy bien, capitán, señor.

—¿Qué piensa de lo que está pasando?

No contestó.

—Me refiero a lo de las escuelas y las manifestaciones.

—Yo no sé nada de eso, señor, capitán.

—¿Trabaja en una granja?

—Cultivo una parcela de algodón, señor.

—¿Se gana la vida con ella?

—Me las arreglo bien, capitán, señor.

Seguimos en silencio un rato río arriba. Los árboles y la hierba del trópico estaban quemados y tristes de la feroz helada del norte. Por último dije, más para mí mismo que para él:

—¿Por qué habría de confiar usted en mí, en realidad? Una pregunta es una trampa y una respuesta es meter el pie en ella.

Recordé una escena (una cosa que me había pasado en Nueva York) y me sentí impulsado a hablarle de ella, pero abandoné enseguida el impulso porque pude ver por el rabillo del ojo que se había apartado de mí y se había apretado contra el extremo de la cabina. Pero el recuerdo era fuerte.

Yo vivía entonces en una casita de ladrillo en Manhattan y, como era por el momento solvente, tenía a mi servicio a un negro. Al otro lado de la calle y en la esquina había un bar restaurante. Un anochecer de invierno que las aceras estaban heladas me asomé a la ventana y me puse a mirar la calle y vi que salía del bar una mujer borracha, resbalaba en el hielo y caía. Intentó levantarse pero resbalaba y se caía otra vez, hasta que se quedó allí tirada chillando quejumbrosamente. En ese momento dobló la esquina el negro que trabajaba para mí, vio a la mujer e inmediatamente cruzó la calle, manteniéndose lo más lejos posible de ella.

Cuando entró en casa le dije:

—Vi cómo escurrías el bulto. ¿Por qué no le echaste una mano a esa mujer?

—Bueno, señor, está borracha y yo soy negro. Si la tocase podría muy bien ponerse a chillar diciendo que la estaba violando y vendría la gente y ¿quién me creería a mí?

—Tuviste que pensar deprisa para escurrir el bulto tan rápido.

—¡Oh no, señor!—dijo él—. Hace mucho ya que llevo practicando lo de ser negro.

Y entonces en Rocinante yo estaba intentando neciamente destruir toda una vida de práctica.

—No le haré más preguntas—dije.

Pero él se agitó con desasosiego.

—¿Podría dejarme aquí, por favor, capitán? Vivo ahí al lado.

Le dejé bajar y vi por el espejo retrovisor que volvía a ponerse a caminar por el borde de la carretera. No vivía cerca de allí ni mucho menos, pero caminar era más seguro que ir conmigo.

Por fin paré en un agradable motel obligado por el cansancio. Las camas eran buenas pero no pude dormir. El hombre gris pasaba caminando ante mis ojos y también los rostros de las «animadoras», pero veía sobre todo al viejo encogido alejándose todo lo que podía de mí, como si yo tuviese la infección, y quizá la tenía. Había salido a aprender. ¿Qué estaba aprendiendo? No me había sentido ni un instante libre de la tensión, el peso de un miedo salvaje. Lo sentía más sin duda por el hecho de ser un recién llegado, pero estaba allí; no lo había llevado yo. Todo el mundo, blancos y negros, vivían en él y lo respiraban: todas las edades, todos los oficios, todas las clases. Para ellos era un hecho de la vida. Y estaba acumulando presión como un forúnculo. ¿No podría haber ningún alivio hasta que estallase?

Había visto tan poco de todo en conjunto. No vi mucho de la Segunda Guerra Mundial (un desembarco de un centenar, unas cuantas experiencias diferenciadas de combate, unos cuantos miles de muertos de todos los millones), pero vi suficiente y sentí suficiente para pensar que la guerra no era ninguna desconocida. Lo mismo en este caso: un pequeño episodio, unas cuantas personas, pero el aliento del miedo estaba en todas partes. Quería irme: una actitud cobarde, quizá, pero más cobarde era negarlo. Sin embargo, la gente que me rodeaba vivía allí. Ellos lo aceptaban como una forma de vida permanente, nunca habían conocido otra cosa ni esperaban que cesara. Los niños de los barrios bajos de Londres se sentían inquietos cuando cesaron los bombardeos y se modificó un esquema al que habían llegado a acostumbrarse.

Di varias vueltas hasta que Charley se enfadó conmigo y me dijo «Ftt» unas cuantas veces. Y es que Charley no tiene nuestros problemas. Él no pertenece a una especie lo suficientemente lista para escindir el átomo pero no lo suficientemente lista para vivir en paz consigo misma. Ni siquiera sabe de razas, no le preocupa con quién pueda casarse su hermana. Todo lo contrario. Una vez se enamoró de una perra salchicha, un romance racialmente impropio, físicamente ridículo y mecánicamente imposible. Pero él no reparó en ninguno de esos inconvenientes. Estaba profundamente enamorado y pugnaba por satisfacer sus anhelos como un buen perro. Sería difícil explicarle a un perro que hay una finalidad buena y moral en el hecho de que un millar de seres humanos se reúnan para maldecir a otro ser humano pequeñito. He visto una mirada especial en los ojos de los perros, una mirada fugaz de desprecio asombrado, y estoy convencido de que los perros piensan que los humanos están locos.

No elegí yo a mi primer parroquiano al día siguiente. Me eligió él a mí. Se sentó en un taburete a mi lado a comer una hamburguesa cuya hermana gemela sostenía yo en la mano. Tenía entre treinta y treinta y cinco años, era largo y nervudo y bien parecido. El cabello, largo y lacio, era casi rubio ceniza; lo llevaba largo y le gustaba, pues le aplicaba un peine de bolsillo de modo automático y frecuente. Vestía un traje gris claro con manchas y arrugado del viaje; llevaba la chaqueta por encima de los hombros. Tenía desabrochado el cuello de la camisa blanca, para lo cual había retirado de él el nudo de la corbata, de estampado color claro. Tenía el acento sureño más marcado que había oído hasta entonces. Me preguntó adónde iba y cuando le dije que me dirigía hacia Jackson y Montgomery me pidió que le llevara. Cuando vio a Charley pensó al principio que yo tenía un negro allí dentro. Había llegado a ser una cosa obligada.

Nos instalamos cómodamente. Él se echó el pelo hacia atrás con el peine y me felicitó por Rocinante.

—Por supuesto—dijo—, me di cuenta inmediatamente de que era usted del Norte.

—Tiene usted muy buen oído—dije, me pareció que burlonamente.

—Oh, ando viajando por ahí—confesó.

Creo que fui responsable de lo que pasó. Si hubiese sido capaz de mantener la boca cerrada tal vez pudiese haber aprendido algo valioso. Se puede echar la culpa a la noche de desasosiego y a lo prolongado del viaje y al nerviosismo. Además se acercaba ya Navidad y pensaba más a menudo en llegar a casa de lo conveniente.

Dejamos establecido que yo estaba viajando por placer y que él andaba buscando un trabajo.

—Viene usted río arriba—dijo—. ¿Vio lo que está pasando en Nueva Orleáns?

—Sí, lo vi.

—Una cosa increíble, ¿no? Sobre todo esa Nellie. Es una mujer tremenda.

—Sí que lo es.

—Serena el corazón ver que hay alguien que cumple con su deber.

Creo que fue entonces cuando perdí el control. Debería

haber soltado un gruñido y dejar que lo interpretase a su gusto. Pero empezó a agitarse dentro de mí un desagradable gusanillo de cólera.

—¿Lo hacen porque lo consideran un deber?

—Claro, Dios las bendiga. Alguien tiene que impedir que esos negros condenados se metan en nuestras escuelas—. La abnegación sublime que motivaba a las «animadoras» me abrumó. —Llega un momento en que uno tiene que sentarse y pensar, y ése es el momento en que decides dar tu vida por algo en lo que crees.

—¿Decidió usted hacerlo?

—Claro que sí, y muchos más como yo.

—¿En qué cree usted?

—No estoy dispuesto a permitir que mis hijos vayan a la escuela con ningún negro. Sí señor. Daré mi vida antes de permitirlo, pero pienso llevarme por delante un buen rebaño de negros.

—¿Cuántos hijos tiene usted?

Se giró hacia mí.

—No tengo ninguno, pero pienso tener unos cuantos y le prometo que no irán a la escuela con ningún negro.

—¿Piensa usted dar la vida antes de tener hijos o después?

Tenía que estar pendiente de la carretera, así que sólo capté un vislumbre de su expresión, y no era agradable.

—Me da la impresión de que es usted un amigo de los negros. Debería haberme dado cuenta. Estos agitadores que bajan aquí a decirnos cómo tenemos que vivir. Pues no se saldrán con la suya, señor. Les tenemos vigilados, comunistas amigos de los negros.

—Yo sólo tenía una imagen valerosa de usted dando su vida.

—Dios mío, así que tenía razón. Es usted uno de esos amigos de los negros.

—No, no lo soy. Y no soy tampoco un amigo de los blancos, si eso incluye a esas nobles «animadoras».

Su cara estaba muy cerca de la mía.

—¿Quiere saber lo que pienso de usted?

—No. Oí a Nellie utilizar las palabras ayer.

Pisé el freno y saqué a Rocinante de la carretera.

Pareció sorprenderse.

—¿Por qué para?

—Salga—dije.

—Ah, quiere usted dar la vuelta.

—No. Quiero librarme de usted. Salga.

—¿Va a obligarme usted a hacerlo?

Estiré la mano hacia el espacio situado entre el asiento y la puerta donde no había nada.

—Vale, vale—dijo y salió y dio un portazo tan fuerte que Charley aulló enfadado.

Arranqué inmediatamente pero le oí chillar y vi en el espejo su rostro lleno de odio, con la boca abierta rodeada de saliva.

—Amigo de los negros, amigo de los negros, amigo de los negros—gritó mientras pude verle y no sé cuánto tiempo después. Es verdad que le pinché, pero no pude evitarlo. Creo que cuando recluten pacificadores será mejor que no me incluyan.

Cogí un pasajero más entre Jackson y Montgomery, un joven estudiante negro de rostro despierto y cuyo aspecto daba una impresión de fiereza impaciente. Llevaba tres plumas estilográficas en el bolsillo del pecho y en el bolsillo interior un bulto de papeles. Supe que era un estudiante porque se lo pregunté. Estaba alerta. La matrícula de Rocinante y mi acento le tranquilizaron todo lo que probablemente podía tranquilizarse.

Hablamos de las sentadas. Él había participado en ellas, y en el boicot de los autobuses. Le expliqué lo que había visto en Nueva Orleáns. Él había estado allí. Había presenciado lo que tanto me había impresionado a mí.

Hablamos por último de Martin Luther King y su doctrina de resistencia pasiva pero implacable.

—Es demasiado lento—dijo—. Llevará demasiado tiempo.

—Hay una mejora, una mejora constante. Gandhi demostró que es la única arma que puede ganar contra la violencia.

—Sé todo eso. Lo he estudiado. Lo que se gana son gotas de agua y el tiempo pasa. Lo quiero más deprisa, quiero acción... acción ahora.

—Eso podría estropearlo todo.

—Podría ser un viejo antes de llegar a ser un hombre. Podría haber muerto antes.

—Eso es verdad. Y Gandhi está muerto. ¿Hay muchos como tú que quieran acción?

—Sí. Bueno, algunos... bueno, no sé cuántos.

Hablamos de muchas cosas luego. Era un joven apasionado y elocuente, con angustia y fiereza justo por debajo de la superficie. Pero cuando le dejé en Montgomery se asomó por la ventanilla de la cabina y se echó a reír.

—Estoy avergonzado—dijo—. Es sólo egoísmo. Pero quiero verlo... Yo... Vivo. ¡Aquí! ¡Yo! Quiero verlo... pronto.

Y luego se giró y se enjugó los ojos con la mano y se alejó rápidamente.

Con tantas encuestas y tantos sondeos, con los periódicos publicando más opiniones que noticias, de manera que ya no sabemos diferenciar una cosa de otra, quiero ser muy claro respecto a una cosa. No he pretendido presentar, ni creo que haya presentado, ningún tipo de muestra representativa de modo que el lector pueda decir: «Él cree que ha expuesto un cuadro veraz del Sur». No es así. Sólo he dicho lo que me dijeron unas cuantas personas y lo que vi yo. No sé si esas personas eran representativas o si se puede extraer alguna conclusión. Pero sé que es un lugar con problemas y una gente atrapada en un lío. Y sé que la solución cuando llegue no será fácil ni simple. Creo con monsieur Ci Gît que del final no hay duda. Son los medios... es la terrible incertidumbre de los medios.

Al principio de esta crónica intenté analizar la naturaleza de los viajes, cómo son cosas en sí mismos, cada uno un individuo y que no hay dos iguales. Especulé con una especie de asombro sobre la fuerza de la individualidad de los viajes y me detuve en el postulado de que la gente no hace viajes, de que son los viajes los que hacen a la gente. Pero ese análisis no se adentró en la duración de los viajes. Ésta parece ser variable e impredecible. ¿Quién no se ha dado cuenta alguna vez de que un viaje está muerto ya y terminado antes del regreso del viajero? También es verdad lo contrario: más de un viaje prosigue mucho después de que haya cesado el desplazamiento en el tiempo y en el espacio. Me acuerdo de un hombre de Salinas que hizo un viaje a Honolulú ya en su edad madura y volvió y ese viaje continuó durante el resto de su vida. Podíamos verle en la mecedora del porche delantero de su casa, los ojos entornados, semicerrados, viajando interminablemente a Honolulú.

Mi propio viaje empezó mucho antes de que me pusiera en marcha, y acabó antes de que regresase. Sé exactamente dónde y cuándo se acabó. Cerca de Abingdon, en la «pata de perro» de Virginia, a las cuatro de una tarde de viento, sin aviso ni despedida ni beso de pies, se acabó mi viaje y me dejó empantanado lejos de casa. Intenté llamarlo otra vez, alcanzarlo... una pretensión estúpida y sin esperanza, porque estaba definitiva y permanentemente acabado y concluido. La carretera se convirtió en una cinta pétrea infinita, las montañas en obstrucciones, los árboles en borrones verdes, la gente en meras figuras que se movían con cabeza pero sin rostro. Toda la comida a lo largo del camino sabía a sopa, hasta la sopa. Tenía la cama deshecha. Me metía en ella a dar una cabezada a intervalos largos e irregulares. Tenía la cocina apagada y se me llenó de moho una barra de pan en el aparador. Rodaban los kilómetros debajo de mí sin que me diese cuenta. Sabía que hacía frío, pero no lo sentía; sé que el paisaje tenía que ser magnífico pero no lo vi. Atravesé a ciegas Virginia Occidental, me adentré en Pensilvania e introduje a Rocinante en la autopista de peaje, grande y ancha. No hubo ni noche ni día ni distancia. Tuve que pararme a llenar el depósito de gasolina, que pasear y alimentar a Charley, que comer, que llamar por teléfono, pero no me acuerdo de nada.

Es muy extraño. Hasta Abingdon, Virginia, puedo pasar hacia atrás todo el viaje como una película. Tengo un recuerdo casi total, allí están todos los rostros, todas las colinas y árboles y colores, y el acento de la gente y pequeñas escenas listas para volver a desplegarse en la memoria. Después de Abingdon... nada. El camino era un túnel gris, intemporal, sin incidentes, pero al final de él estaba la única realidad relumbrante: mi esposa, mi casa en mi calle, mi cama. Estaba todo allí, y yo corría hacia ello. Rocinante podía ser rápido, pero no le había pisado el acelerador. Entonces saltaba bajo mi pie pesado e implacable, y aullaba el viento alrededor de las esquinas de la caravana. Si piensas que estoy entregándome a la fantasía respecto a esto del viaje, ¿cómo puedes explicar que Charley supiese también que se había acabado? Él por lo menos no es ningún soñador, ningún acuñador de estados de ánimo. Se ponía a dormir con la cabeza en mi regazo, no miraba nunca por la ventanilla, no dijo «Ftt» ni una sola vez, nunca me instó a parar en una zona de aparcamiento. Realizaba sus funciones como un sonámbulo, desdeñó hileras completas de latas de basura. Si eso no prueba la veracidad de mi afirmación, nada puede hacerlo.

Nueva Jersey fue otra autopista de peaje. Mi cuerpo se

hallaba en un vacío sin nervios y sin cansancio. El creciente río de tráfico que se dirigía a Nueva York me arrastró y de pronto allí estaba la boca acogedora del túnel Holland y al otro extremo mi casa.

Un policía me indicó que saliera de la serpiente del tráfico y me ordenó parar.

—No puede pasar por el túnel con ese butano—dijo.

—Pero agente, está apagado.

—No importa. Es la ley. No se puede entrar con gas en el túnel.

Y de pronto me desmoroné, me desplomé en una gelatina de agotamiento.

—Pero es que quiero llegar a casa—gemí—. ¿Cómo voy a hacer para llegar a casa?

Fue muy amable conmigo, y también muy paciente. Puede que también tuviese una casa en algún sitio.

—Puede usted subir y coger el puente de George Washington, o puede coger un transbordador.

Era una hora punta, pero aquel policía de tierno corazón debió de ver en mí un maniaco en potencia. Detuvo aquel tráfico salvaje y me hizo pasar entre él y me dio cuidadosas instrucciones. Creo que se sintió muy tentado a ponerse al volante y llevarme él mismo a casa.

Me vi mágicamente en el transbordador de Hoboken y luego en tierra, lejos del centro, en medio de la despavorida carrera diaria de los que saltaban y corrían y se colaban sin obedecer ninguna señal para llegar también a casa. Todas las noches es Pamplona en la parte baja de Nueva York. Giré hacia un lado y luego hacia otro, entré en una calle de una sola dirección en dirección contraria y tuve que salir marcha atrás, quedé inmovilizado en medio de un cruce entre los remolineantes rápidos de la gente.

De pronto me arrimé al bordillo en una zona en que estaba prohibido aparcar, apagué el motor, me retrepé en el asiento y me eché a reír a carcajadas y no podía parar. Me temblaban las manos, los brazos y los hombros de los nervios de la carretera.

Un poli a la antigua de cara colorada y agradable y unos ojos azules glaciales se inclinó hacia mí.

—¿Qué le pasa a usted, amigo, está borracho?—preguntó.

—Agente—dije—, he conducido este chisme por todo el país... montañas, llanuras, desiertos. Y ahora estoy de vuelta en mi ciudad, donde vivo... y me he perdido.

Sonrió muy feliz.

—No se preocupe por eso, amigo—dijo—. Yo me perdí en Brooklin el sábado pasado. Dígame, ¿adónde quiere ir?

Y así fue cómo el viajero volvió otra vez a casa.